岁月记忆
Memories of the Past

河南省文物考古研究所60年历程
Memories of the Past: Sixty-year Course of the Henan Provincial Institute of Cultural Relics and Archaeology

河南省文物考古研究所
The Henan Provincial Institute of Cultural Relics and Archaeology

大象出版社

图书在版编目（CIP）数据

岁月记忆：河南省文物考古研究所60年历程/河南省文物考古研究所编著.—郑州：大象出版社，2012.6
ISBN 978-7-5347-7286-3

Ⅰ.①岁… Ⅱ.①河… Ⅲ.①文物-考古-研究所-概况-河南省 Ⅳ.①K872.61-24

中国版本图书馆CIP数据核字（2012）第131796号

责任编辑　郭一凡
执行编辑　胡永庆
封面设计　阳　光
出　　版　大象出版社（郑州市开元路18号　邮政编码　450044）
网　　址　www.daxiang.cn
印　　刷　中国人民解放军测绘学院印刷厂
版　　次　2012年6月第1版　2012年6月第1次印刷
开　　本　889×1194mm　1/16
印　　张　16.125
字　　数　280千字
印　　数　1～1500
定　　价　260.00元

领导专家关怀

1993年10月李铁映(右三)视察西峡恐龙蛋发掘现场

岁月记忆

1996年11月全国人大副委员长钱伟长(左三)视察郑州小双桥遗址发掘现场

2009年9月25日全国政协副主席张思卿视察荥阳薛村遗址出土文物

2010年全国政协副主席林文漪(右一)视察曹操高陵出土遗物

1959年6月郭沫若先生(右四)视察郑州商城工地

岁月记忆

1996年2月国务委员宋健视察登封王城岗遗址

2003年8月18日中央军委领导张黎（左二）视察文物标本室

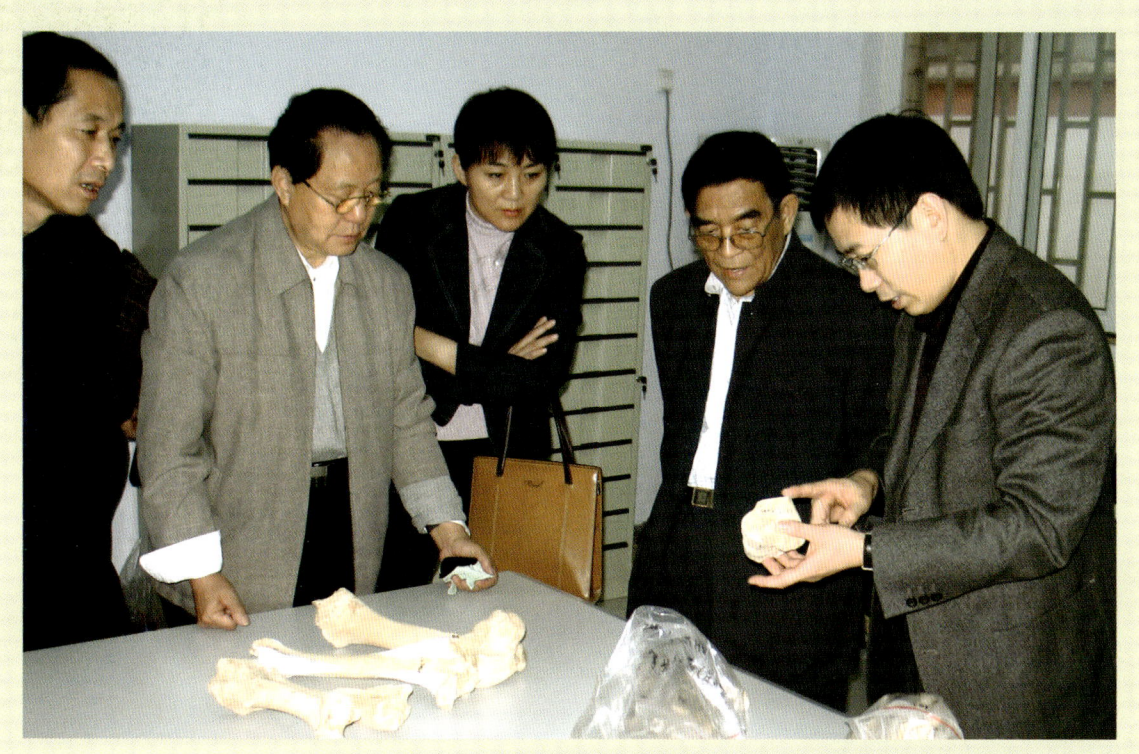

2006年11月4日全国政协常委翟泰丰(右二)视察我所

1953年秋国家文物局局长王冶秋(左二)和苏秉琦先生(左三)视察郑州二里岗发掘现场

岁月记忆

1994年10月国家文物局局长张文彬(左二)视察我所

2005年9月26日全国政协委员谢辰生(右一)、王铁成(左一)考察文物标本室

2002年国家文物局副局长郑欣淼(右三)视察我所

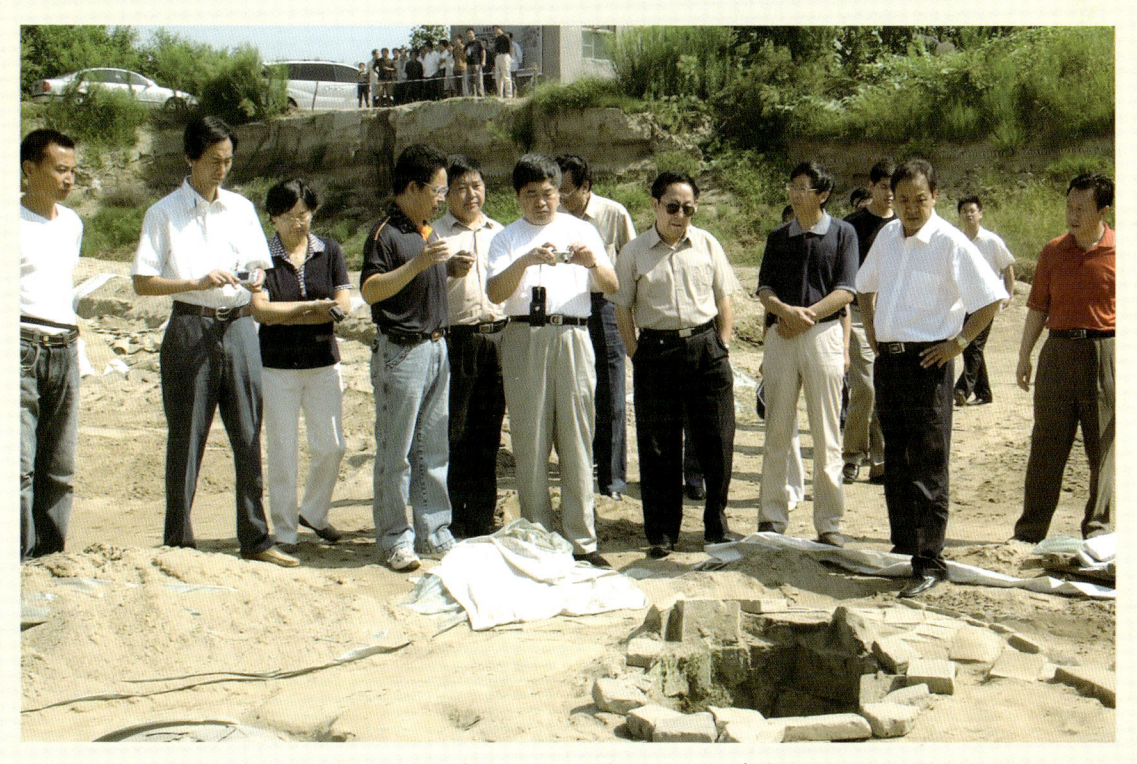

2006年8月17日国家文物局长单霁翔(左六)视察内黄三杨庄工地

岁月记忆

1987年国家文物局副局长黄景略(左二)视察平顶山应国墓地出土文物

2009年2月国家文物局副局长张柏(中)视察内黄三杨庄遗址

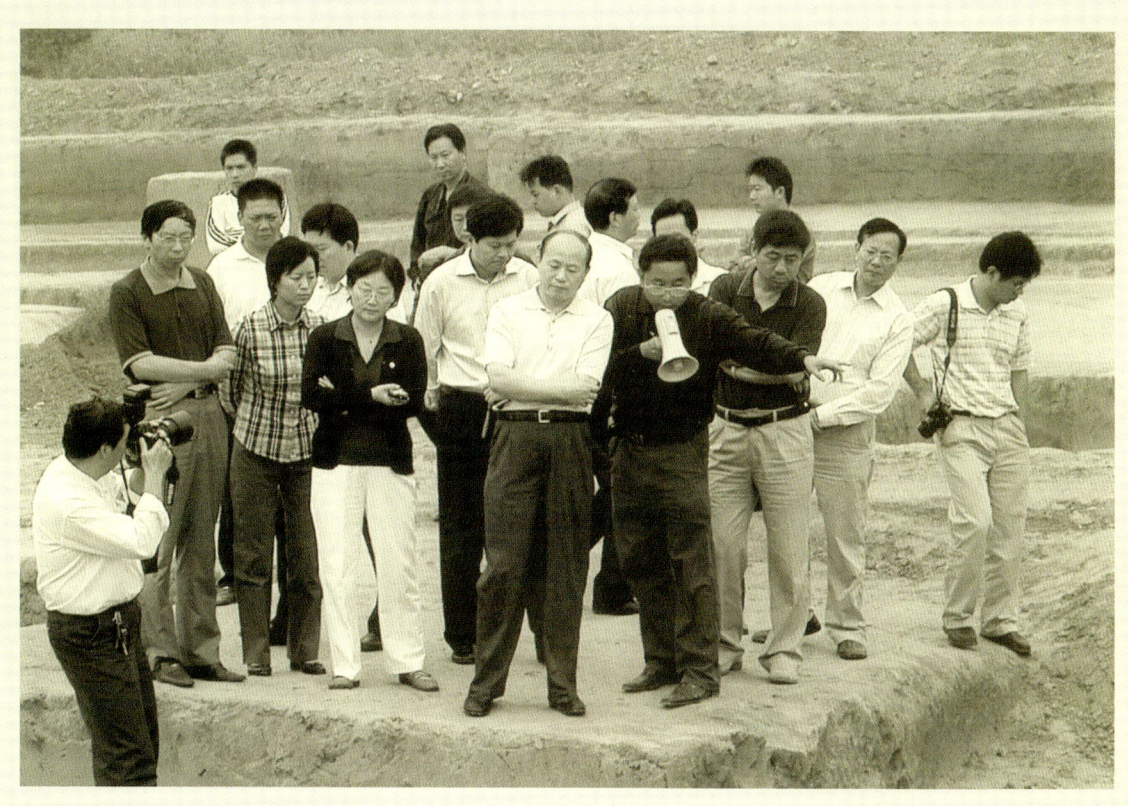

2008年国家文物局副局长童明康(前排中)视察新郑胡庄墓地发掘现场

2009年5月28日河南省委书记徐光春视察三杨庄遗址

岁月记忆

1998年7月河南省委书记马忠臣(前排左三)视察我所

2010年2月27日河南省省长郭庚茂(中)视察曹操高陵

2008年11月4日河南省政协主席王全书视察我所

1999年7月河南省副省长陈全国(左四)视察郑州商城发掘工地

岁月记忆

1986年5月河南省副省长胡廷积(右二)视察我所

2001年7月河南省副省长贾连朝(左一)视察我所

2008年12月8日河南省人大副主任王菊梅(左二)视察我所

2007年河南省副省长孔玉芳(左五)视察荥阳关帝庙遗址出土文物

岁月记忆

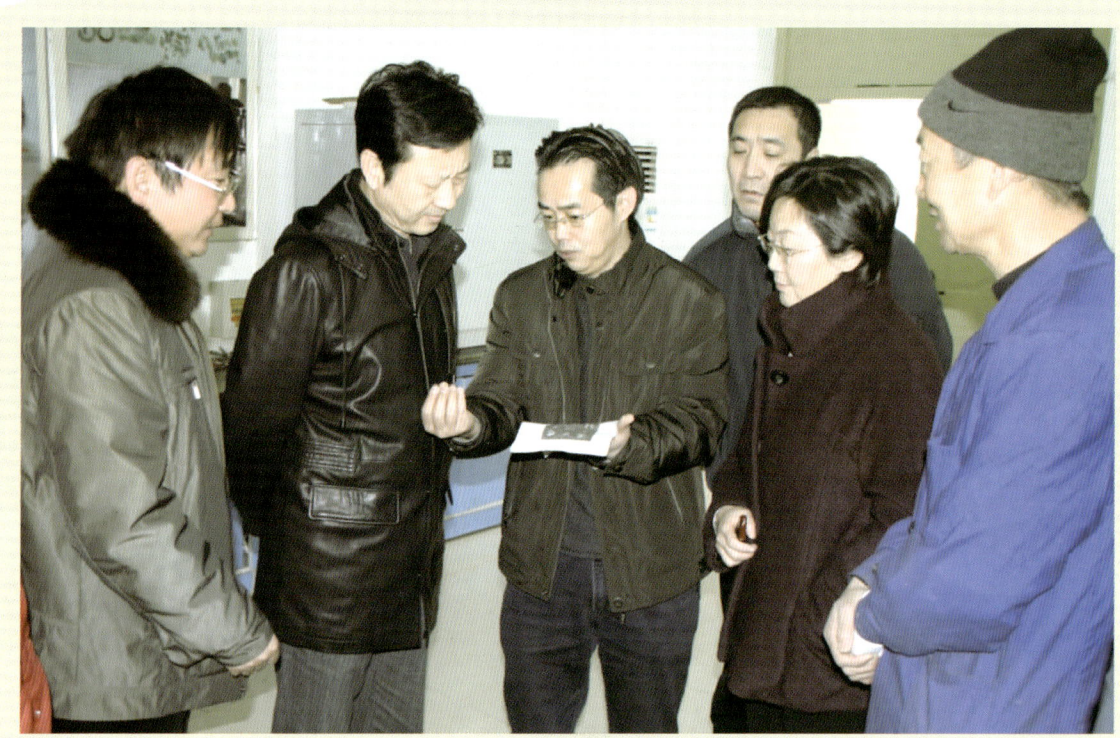

2010年3月河南省副省长宋璇涛(左二)视察我所

2009年2月12日河南省副省长张大卫(右一)视察三杨庄遗址发掘现场

2012年2月3日河南省政协副主席靳绥东(前排左三)、龚立群(前排右三)视察我所

1998年7月河南省文化厅厅长王传真(右二)、河南省文物局长杨焕成(左二)来我所视察

岁月记忆

2001年河南省文化厅厅长孙泉砀(右二)、副厅长刘清俭(左二)来我所视察

2003年4月24日河南省文化厅厅长郭俊民(中)视察文物标本室

2008年4月2日河南省文化厅厅长杨丽萍(右二)视察文物标本室

2004年1月16日河南省文化厅副厅长崔为功(左二)视察文物标本室

岁月记忆

2006年11月16日河南省文化厅副厅长李霞(右二)视察我所

2005年9月26日河南省文物局局长杨换成视察我所

2002年河南省文物局局长常俭传(右一)视察法王寺发掘工地

2009年9月25日河南省文物局局长陈爱兰(左一)视察曹操墓发掘工地

岁月记忆

2011年2月河南省文物局副局长孙英民（右一）视察淇县宋庄墓地发掘现场

1994年10月美国科学院院士、哈佛大学教授张光直先生（左二）来我所考察访问

1993年冬美国哈佛大学罗凤鸣博士(右二)考察徐家岭墓地出土铜器

1977年11月18日-22日夏鼐先生(左一)考察登封王城岗遗址发掘现场

岁月记忆

1955年夏冯友兰先生（左三）考察郑州二里岗工地

2001年宿白先生（左三）来我所考察访问

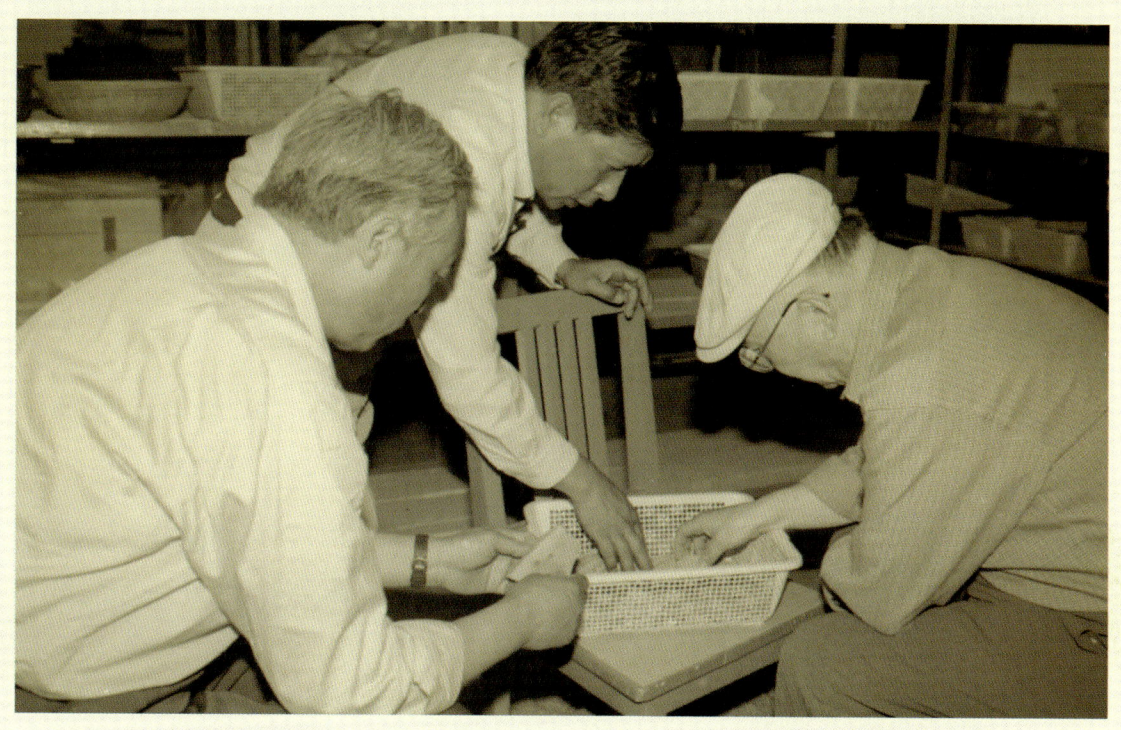

1999年安志敏先生（右一）考察新密古城寨遗址出土遗物陶片

2002年12月张忠培先生（左一）考察三门峡庙底沟遗址发掘现场

岁月记忆

2007年4月李学勤先生(左四)考察郭庄墓地出土铜器

2008年1月11日古人类学家吴新智(右二)观察许昌人头盖骨化石

2009年3月20日李伯谦先生(右一)视察胡庄墓地出土文物

2010年刘庆柱先生(中)考察曹高陵发掘现场

岁月记忆

2003年6月马承源先生(左二)考察长台关楚墓出土文物

2007年12月20日耿宝昌先生(中)考察白河窑址出土瓷器

2002年汪庆正先生(右一)考察黄冶窑出土唐青花瓷器标本

2008年1月6日王巍先生(左二)考察禹州瓦店遗址出土文物

岁月记忆

2008年4月30日军事博物馆郭得河先生(左二)考察文物标本室

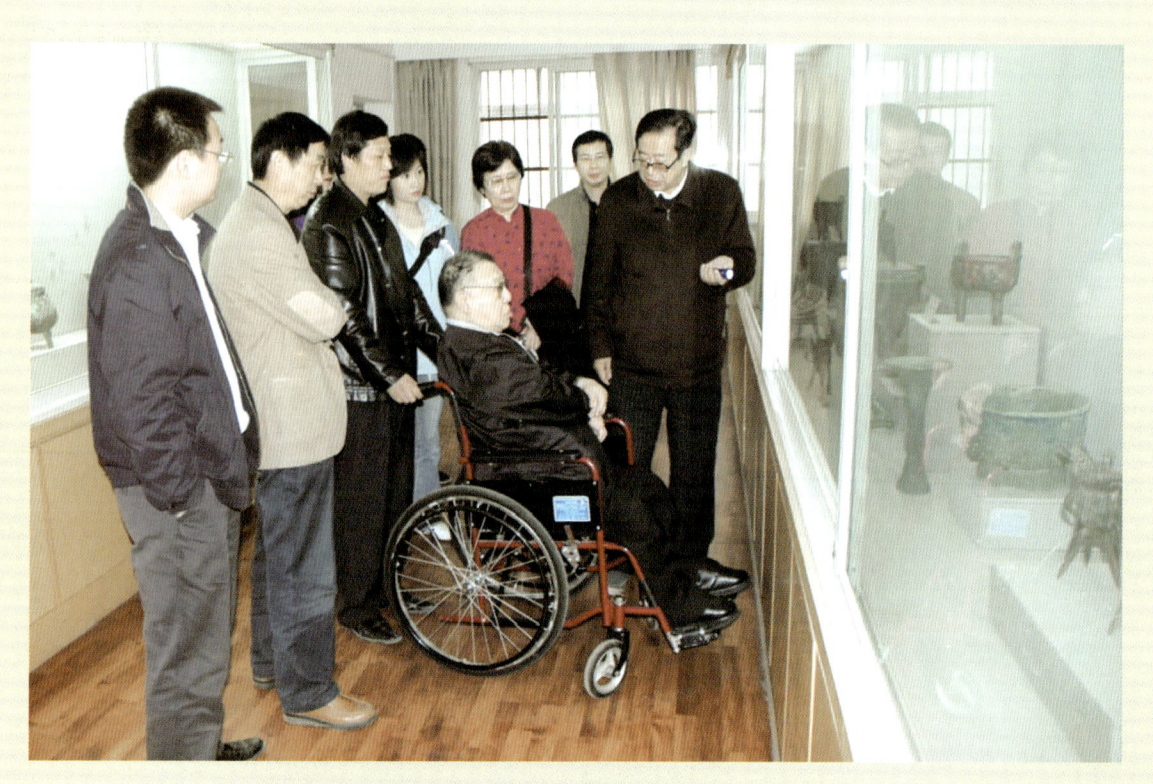

2007年11月6日华裔美籍考古学家许倬云考察文物标本室

目 录

001　简史

013　现状

023　个人简历

065　调出人员名录

071　学术交流

075　课题项目

081　出版专著

093　获奖科研成果

099　大事记

226　后记

岁月记忆

岁月记忆
简　　史

岁月记忆

河南省文物考古研究所成立于1952年6月，其前身为河南省文化局文物工作队。成立之初，全队仅有20余人，下设田野工作组、革命文物组、图书组、行政办公室，承担全省范围内的革命文物与地上、地下历史文物的调查、保护、修葺、发掘和整理研究工作。为配合郑州和洛阳城市建设的需要，1953年3月，又成立了郑州市文物工作组和洛阳市文物工作组。1954年7月之后，郑州市文物工作组人员增多，改名为河南省文化局文物工作队第一队，洛阳市文物工作组也扩编更名为河南省文化局文物工作队第二队。1958年2月，第一队和第二队合并仍称为河南省文化局文物工作队。随着工作任务量加大，队内机构增加设置有调查保护组、地上（古建、石刻）组、地下（考古发掘）组、保管组、编辑组、办公室。1970年精减机构，河南省文化局文物工作队与河南省博物馆合并，承担的工作任务未变。1981年2月，又与河南省博物馆分开，成立河南省文物研究所，负责全省地下古文化遗址和古墓葬的调查保护、考古发掘和科学研究工作。原承担的革命文物调查、保护与整理研究工作，改由河南省博物馆负责；原承担的古代建筑、石窟、石刻的保护、修葺、整理研究工作，改由新成立的河南省古代建筑保护研究所负责。1994年12月，河南省文物研究所又更名为河南省文物考古研究所。目前，所内设置有第一研究室（旧石器、新石器时代）、第二研究室（夏、商、周）、第三研究室（秦汉以降至宋、金、元、明）、基建考古办公室、科技考古室、资料室、编辑部、技术室、文物保护室、行政办公室、计财科、保卫科等12个科室。第二研究室还分管郑州考古工作站、新郑考古工作站。

此外，还有郑州西山考古整理基地，河南省文物局批准成立的动物考古研究基地、灵井许昌人研究基地和三杨庄汉代研究基地。全所在职人员87人，离退休人员30人，大多为专业技术人员，包括研究馆员21人，副研究馆员12人，馆员26人。河南省文物考古研究所为全省首家具有国家田野考古团体领队资格的单位，全所有近30位业务人员取得了国家田野考古个人领队资格。从1952年至今，先后担任队长或所长的有赵全嘏、许顺湛、丁伯泉、安金槐、郝本性、杨育彬、杨肇清、孙新民。

经过六十年的建设，河南省文物考古研究所的基础设施已经有了很大的发展。现在拥有一幢五层办公楼，一幢三层考古技术设施楼，一幢六层（包括地下室）文物仓库楼，还有一批其他房屋建筑。此外，在郑州考古工作站、新郑考古工作站、郑州西山考古整理基地，各自拥有一批办公和研究整理的库房、楼房及其他建筑设施。图书馆藏书有10多万册。资料室保存大量文物调查和考古发掘资料，还有一大批照相底片、电影胶片、录像片、图纸、临摹壁画、拓片和其他资料。库藏文物近20万件。还建立了内容丰富的陶器标本室、青铜器标本室、瓷器标本室、玉器标本室、冶金标本室、漆木器标本室等多种文物标本室，展示了全所六十年来考古发掘的重要成果，得到国内外专家学者的赞誉。所内还拥有一批质量较好的考古发掘设备、照相和录像器材、绘图和文物修复设备、现代化办公设备，为开展文物调查保护、考古发掘、资料整理、科学研究等，提供了良好的工作条件。

六十年来，河南省文物考古研究所配合国家许多大型基本建设工程，如治淮水利工程，黄河小浪底水库工程，南水北调丹江库区和中线干渠工程，焦枝铁路、京九铁路、宁西铁路和郑西铁路工程，京珠高速、连霍高速、许平南高速等多项公路工程，漯河电厂、沁北电厂及西霞院水库、燕山水库工程，西气东输工程，郑州、洛阳等城市建筑工程等；还围绕一些重要学术研究课题，进行了大量文物调查和田野发掘工作，有许多重大的考古发现。其中包括南召小空山、舞阳大岗、许昌灵井等旧石器时代遗址；新密莪沟、长葛石固、舞阳贾湖、渑池仰韶村、濮阳西水坡、汝州洪山庙、郑州西山、灵宝西坡、南阳黄山、淅川下王岗和黄楝树、唐河寨茨岗、社旗茅草寺、郸城段寨、鹿邑栾台、登封王城岗、禹州瓦店、淮阳平粮台、郾城郝家台、辉县孟庄、新密古城寨、汝州煤山、郑州站马屯等新石器时代遗址；郑州商城和小双桥、渑池郑窑、伊川南寨、焦作府城、鹤壁刘庄、荥阳关帝庙、荥阳小胡村商代墓地、鹿邑太清宫长子口墓、平顶山应国墓地、三门峡虢国墓地与虢都上阳城、新郑郑韩故城与韩国王陵、登封阳城、温县盟书及州城、禹州雍梁故城、信阳长台关楚墓、新蔡葛陵楚墓、上蔡郭庄楚墓、淅川丹江库区楚墓、淮阳马鞍冢和平粮台楚墓、固始侯古堆大墓等

夏商周遗址和墓葬；南阳瓦房庄、巩义铁生沟、温县西招贤、内黄三杨庄、永城西汉梁国陵墓、南阳杨官寺汉墓、密县打虎亭和后士郭汉墓、襄县茨沟汉墓、永城酂城汉墓、安阳北齐范粹墓和固岸墓地、邓州南朝彩色画像砖墓、巩义北宋皇陵、偃师酒流沟宋墓及上蔡宋墓等汉魏以降遗址和墓葬；还有安阳相州窑、巩义黄冶窑和白河窑、登封曲河窑、新密西关窑、内乡邓州窑、汝州严和店窑和张公巷窑、宝丰清凉寺窑、禹州钧台窑和神垕窑、修武当阳峪窑、鹤壁集窑等一批隋唐宋金元瓷窑址。

在上述重大考古发现中，有6项被列入全国专家评选的"中国20世纪100项考古大发现"；有1项评为"七五"全国十大考古新发现；有1项评为"八五"全国十大考古新发现；有21项获1990年以来各年度的全国十大考古新发现，还有1项获年度全国十大考古新发现提名奖；另有8项获国家文物局田野考古质量奖。这些都是河南省文物考古研究所依托我们祖先留下的丰富文化底蕴，为文物大省河南，为中国考古学发展做出的积极贡献。

出成果，出人才，努力进行科学研究，也是河南省文物考古研究所的工作目标之一。六十年来，全所共发表考古发掘报告、简报1000余篇，发表研究论文和其他文章1500余篇。出版了《郑州二里岗》、《邓县彩色画像砖》、《信阳楚墓》、《巩县铁生沟》、《淅川下王岗》、《淅川下寺春秋楚墓》、《登封王城岗与阳城》、《密县打虎亭汉墓》、《北宋皇陵》、《永城西汉梁国王陵与寝园》、《汝州洪山庙》、《郑州商代青铜器窖藏》、《舞阳贾湖》、《三门峡虢国墓地（一）》、《黄河小浪底水库文物考古报告集》、《黄河小浪底水库考古报告（一）》、《新安荒坡——黄河水库考古报告（三）》、《郑州商城》、《颍河文明》、《禹州瓦店》、《鹿邑太清宫长子口墓》、《禹州钧台窑》、《淅川和尚岭与徐家岭楚墓》、《新郑郑国祭祀遗址》、《三门峡庙底沟唐宋墓葬》、《登封王城岗考古发现与研究》、《宝丰清凉寺汝窑》、《郑韩故城兴弘花园与热电厂墓地》、《三门峡南交口》、《永城黄土山与酂城汉墓》、《灵宝西坡墓地》等近40部考古报告专集。在河南省文物考古研究所建所六十周年大庆到来之际，又将有《郾城郝家台》、《鹤壁刘庄》等10部考古报告专集问世。

还出版了《河南出土商周青铜器（一）》、《中国文物地图集·河南分册》、《中国名胜辞典·河南分册》、《千唐志斋藏志》、《中国青铜器全集·夏商（1）》、《中国青铜器全集·东周（1）》、《中国陶瓷全集·新石器时代》、《中国陶瓷全集·夏商周》、《中国玉器全集（三）》、《中国音乐文物大系·河南卷》、《中国音乐文物大系·续河南·江西卷Ⅱ》、《启封中原文明——20世纪河南考古大发现》、《新中国出土墓志·河南卷（一）》、《新中国出土墓志·河南卷（二）》、《隋唐五代墓志·河南卷》、《洛阳石刻出土

简 史

时地记》、《巩县石窟寺》、《河南商周青铜器纹饰与艺术》、《河南出土空心砖拓片集》、《信阳楚墓出土图录》、《河南出土陶瓷》、《巩义黄冶唐三彩》、《黄冶窑考古新发现》、《河南古代瓷窑》、《汝瓷的新发现》、《中国出土瓷器·河南分册》、《发现与解读——河南考古新发现》、《汝窑与张公巷窑出土瓷器》、《巩义白河窑考古新发现》、《中国出土壁画·河南分册》、《黄河黄土高原东南地区环境演变与远古人类文化研究》、《白垩纪之光——西峡恐龙蛋考察漫记》、《考古钻探知识与技术》、《动物考古（一）》等30多部各类资料性研究专著和图录。

又出版了《灿烂的郑州商代文化》、《商代社会经济基础初探》、《中国陶瓷史》、《中国陶瓷》、《河南陶瓷史》、《汉代叠铸》、《南阳汉代冶金》、《中原古代冶金技术研究》、《中原古代冶金技术研究（二）》、《20世纪中国考古与发现丛书——冶金考古》、《郑州胜迹》、《郑州商城初探》、《郑州考古新发现与研究》、《河南考古》、《中国考古》、《河南考古四十年》、《20世纪河南考古发现与研究》、《安金槐考古论文集》、《安金槐纪念文集》、《河南史前彩陶》、《河南新石器时代田野考古文献举要》、《华夏文明的形成与发展》、《河南钧瓷汝瓷与三彩》、《2005年禹州钧窑学术研讨会论文集》、《河南文物考古论集》、《河南文物考古论集（二）》、《中原文物考古研究》、《河南文物考古论集（四）》、《河南考古与探索》、《河南考古研究》、《河南文物》、《中原文化大典·文物典》（聚落卷、城址卷、陵寝墓葬卷、瓷器卷、陶器卷、玉器卷、青铜器卷、古人类与旧石器卷、杂项卷）、《中原文化大典·科学技术典》（矿冶卷）、《魏晋南北朝隋陵》、《曹操高陵考古发现与研究》等40多部学术性专著。此外，为庆祝河南省文物考古研究所建所六十周年大庆，已离退休的9位研究员各自编纂出版了个人的考古文集，组成河南文物考古研究丛书，这又是一批较高水平的学术性专著。

在上述成果中，有国家社科基金资助项目13项（重点项目4项、一般项目8项、青年项目1项）、国家自然科学基金资助项目2项。另有《郑州西山仰韶文化城址》、《温县盟书遗址》、《平顶山蒲城店遗址》、《内黄三杨庄遗址》、《新郑韩王陵》、《禹州瓦店遗址》等6项国家社科基金重点资助项目的考古报告专集，还有《平顶山应国墓地》、《济源轵城汉墓》、《郑州小双桥商代遗址》、《淮阳平粮台古城》、《荥阳关帝庙遗址》、《罗山后李商代墓地》等6项国家社科基金一般资助项目的考古报告专集，已经送交出版社或已经结项，这将又是河南省文物考古研究所的一批考古研究新成果。与此同时，河南省文物考古研究所出版的一百多部考古报告专集和学术研究专著中，有30多部获得国家和省部级奖励，其中包括全国社科基金资助项目优秀成果奖、中国20世纪优秀考古报告奖、全国优秀图书奖、郭沫若中国历史学奖、

岁月记忆

夏鼐考古学研究优秀成果奖、全国优秀科普奖、中国钱币学会金泉奖、河南省社会科学优秀成果奖、河南省自然科学优秀成果奖、河南省五个一工程奖、河南省优秀图书奖等。

河南省文物考古研究所1987年创办国内外发行的《华夏考古》，是河南唯一的考古学专刊，集考古资料性和学术性为一体，开辟有田野考古报告、考古文物研究、考古学理论与方法、考古技术与文物保护、考古译文园地、考古学者与学术史、考古书评等栏目，是河南乃至全国文物考古界发表文物考古资料和研究成果的重要园地。也发表一些中国学者研究国外考古的文章，以及一些外国学者研究中国考古的文章，可谓是立足河南，面向全国，走向世界。《华夏考古》与改革开放新时期河南文物考古事业的日益发展相同步，又和河南考古新发现及科学研究水平不断提高相并行，至今已出版了整整100期，已成为反映河南文物考古的历史长卷，既是了解古代河南的必据经典，更是宣传河南乃至中国古代文明不可或缺的窗口。《华夏考古》曾获得中国期刊方阵双效期刊、中国人文社会科学核心期刊、全国中文核心期刊、中国社会科学引文索引来源期刊(CSSCI)、河南省社会科学一级期刊、河南省社会科学类优秀期刊、河南省社会科学20佳期刊等荣誉称号。

出成果和出人才是相辅相成的，河南省文物考古研究所的考古发掘和科学研究，造就了一批河南文物考古事业的拔尖人才。除了被评为研究馆员和副研究馆员之外，另有3位是国家有突出贡献专家、享受国务院颁发的政府特殊津贴，还有多位是文化部优秀专家、河南省优秀专家及河南省青年社科专家，又有全国哲学社会科学规划考古学科组(学科评审组)成员，另有国家夏商周断代工程专家组成员，有国家文物鉴定委员会委员，有中国社会科学院古代文明研究中心顾问和专家委员会委员及客座研究员，有国家文物局田野考古领队培训班考核委员，有山东大学兼职教授、武汉大学兼职教授、郑州大学兼职教授、河南大学兼职教授和博士生导师，有全国文化系统先进工作者和全国文博系统先进个人，有全国五一劳动奖章和河南省五一劳动奖章获得者，有被中共河南省委宣传部评为河南省十大新闻人物，有入选感动中原双60人物，有河南省文物局专家组成员，有河南省跨世纪学术与技术带头人……这些成果，这些人才，奠定了河南文物大省的历史和学术地位。

1953年~1979年，由河南省文化局文物工作队负责，在开封和郑州举办了四期全省文物干部培训班，约有200多位省直和地、市、县的文物干部受到业务培训。又在各地、市、县举办三十多期文物干部训练班，培训文物干部500多人。1982年~1990年，国家文物局在河南省文物考古研究所设置了郑州文物干部培训班(后曾更名为国家文物局郑州培训中心,又改名为郑州考古干部专科学校,再更名为郑州文博职工中等专业学校),面向全国招生培训。先后举办了三期4~6个月的文物干部培训班,举办一届为期两年的考古大专班,举办一届为期两年半的文博中专班,还举办了两期各4个月的古代钱币培训班和一期4个月的考古绘图培训班。为来自全国27个省、市、自治区培训了总数约350多人的文物专业干部,对全国文物考古事业做出了贡献。河南省文物考古研究所本身,就是一所培养文物考古干部的大学校。许多年来,河南省文物局,河南省博物馆(院),河南省古代建筑保护研究所,河南省文物商店(文物交流中心),洛阳、南阳、焦作、濮阳、开封、安阳等不少地市的文物考古单位,还有中国历史博物馆,中国文物研究所,深圳市博物馆,中国科学院研究生院,郑州大学、河南大学、中国科技大学、首都师范大学的考古、文博院系等单位的领导或业务骨干,都有过在河南省文化局文物工作队或河南省文物考古研究所的工作经历。

六十年来,河南省文物考古研究所除了自身进行考古发掘和科学研究之外,还和国内一些文物考古机构及高等院校在河南联合进行考古发掘,也派出专业人员到山西侯马、湖北荆州、长江三峡库区、深圳等地,进行考古发掘或文物普查。并与国内相关单位联手进行旧石器时代文化研究、裴李岗文化研究、中国古代文明起源研究、夏商文化研究、楚文化研究、古陶瓷研究、古代冶金研究,取得了一定的成果。在国家重大科研项目夏商周断代工程中,河南省文物考古研究所承担了"早期夏文化年代学研究"专题和"商前期年代学研究"课题,取得了令人瞩目的成就。为此,河南省文物考古研究所与北京大学考古文博学院和中国社会科学院考古研究所同时荣获国家科技部等四部委颁发的"九五"重大科技攻关优秀成果奖。当前,还正在参加国家重点科研项目中华文明探源工程中多项课题研究,已取得了阶段性成果。河南省文物考古研究所还被国家人事部、文化部评为全国文化工作先进集体。

六十年来,尤其是改革开放以后,河南省文物考古研究所还积极开展与国外、境外进行学术交流与合作。发掘出土的文物精品,曾参加全国、河南省的出国、出境文物展览,到日本、韩国、美国、英国、法国、丹麦、澳大利亚等国家和香港、台湾地区进行展出,宣传中原光辉灿烂的古代文化。曾多次派专家学者到日本、美国、朝鲜、韩国、法国、英国、挪威、丹麦等许多国家和香港、台湾地区进行访问,参加学术会议,作学术报告,进行学术座谈,参观考察博物馆和考古工地,甚至还参加了考古发掘。而许多国家和香港、台湾地区的文物考古专家也同样来河南访问,参观考古工地和各类标本室,参加学术会议,作学术报告,进行学术座谈,也有的参与了中外合

作发掘和研究工作。河南省文物考古研究所还与日本京都大学人文研究所、日本滋贺医科大学、日本奈良文化财研究所、日本九州大学、日本爱媛大学、韩国忠北大学博物馆、法国国立科学研究中心、美国哈佛大学、美国密苏里州大学、美国华盛顿大学、澳大利亚拉楚布大学等国外高校和科研机构,在旧石器时代考古、新石器时代考古、商文化研究、古代人类骨病研究、古稻作研究、古地理环境、古代冶金研究、温县盟书研究、唐三彩及其他陶瓷研究等进行合作,并取得一些进展。

进入新世纪的中国人,对回顾过去和展望未来有着不可遏制的激情,只有把过去、现在和未来连接在一起,才能构成一部完整的人类发展史。穿越历史的隧道,去探索遥远的古代文明,是人类一个永恒的主题,也是一项极富挑战的课题,而我们文物考古工作者就是实现这个主题和完成这项课题的使者。河南省文物考古研究所一代又一代的文物考古工作者薪火相传,为实现这个主题和完成这项课题而孜孜不倦地工作着。河南考古已成为中国考古学发展里程碑上最明显的刻度之一,也成为中国考古学的缩影。中国的古文化、古文明属于全人类的文化宝库,对整个世界产生了巨大而又深远的影响。由此,中国考古学也成为世界考古学的重要组成部分。苏秉琦先生指出:"21世纪的中国考古学,将是世界性的中国考古学。""21世纪的世界告别了20世纪,使我们看到了人类真正文明的曙光。中国古史从人类文明起步,从民族到国家及国家发展的三部曲(古国——方国——帝国),中华民族多元一体格局的形成,独具特色的中国文化传统——中国考古学——反映的中国古史对全人类未来的重要意义将会越来越成为全人类的共识和共同的财富。"严文明先生曾说过:"中国也是世界一部分,如果不能站在世界历史的高度来看中国,那么中国有什么特点,在世界古代文明中占有什么样地位,中国历史怎样影响了世界历史的进程,又受到世界历史的哪些影响,这些问题就很难说得清楚。所以人们常说中国要走向世界,世界也要了解中国。"英国学者丹尼尔先生也说:"未来的世界考古学要看中国。"面对新世纪我们仍将锲而不舍地去"传承文明,开拓创新。"河南省文物考古研究所至今已经走过整整一个甲子的历史岁月,展望未来,定将会在下一个六十年再铸辉煌!

历任所领导成员

1. 1952 年 6 月—1954 年 7 月

    河南省文化局文物工作队:队　　长:赵全嘏
    　　　　　　　　　　　　　　副 队 长:许顺湛

2. 1954 年 8 月—1955 年 1 月

    河南省文化局文物工作队一队:党支部书记:蒯世权
    　　　　　　　　　　　　　　支部委员:谭金昇　葛治功
    　　　　　　　　　　　　　　队　　长:许继秋
    　　　　　　　　　　　　　　副 队 长:安金槐　尹焕章
    　　　　　　　　　　　　　　二　　队:队长:路传道

3. 1955 年 1 月—1958 年 3 月

    河南省文化局文物工作队一队:党支部书记:许顺湛
    　　　　　　　　　　　　　　支部委员:谭金昇　王润杰
    　　　　　　　　　　　　　　队　　长:许顺湛
    　　　　　　　　　　　　　　副 队 长:安金槐　尹焕章

4. 1958 年 3 月—1964 年 10 月

    河南省文物工作队:党支部书记:许顺湛
    　　　　　　　　　队　　长:许顺湛
    　　　　　　　　　副 队 长:安金槐　路传道　丁伯泉

5. 1964 年 10 月—1970 年 1 月

    河南省文物工作队:党支部书记:李庆生
    　　　　　　　　　队　　长:丁伯泉
    　　　　　　　　　副 队 长:安金槐　吉思敬

6. 1970 年 1 月—1981 年 2 月

    河南省博物馆文物工作队:负 责 人:李庆生　赵青云

岁月记忆

7. 1981年2月—1983年12月

  河南省文物研究所:党支部书记:王润杰

      委   员:赵青云 王桂枝

      所   长:安金槐

      副 所 长:赵青云

8. 1983年12月—1989年2月

  河南省文物研究所:党支部书记:王润杰

      委   员:赵青云 杨肇清 郝本性 许天申 代伦英

      所   长:郝本性

      副 所 长:赵青云

           武志远(1984年11月)

           杨肇清(1986年2月)

           许天申(1986年4月)

           杨育彬(1987年5月)

9. 1989年2月—1994年2月

  河南省文物研究所:党支部书记:杨肇清

      委   员:郝本性 杨育彬 张文军 代伦英

      名誉所长:安金槐

      所   长:郝本性

      副 所 长:杨育彬 许天申 张文军

10. 1994年2月—1998年1月

  河南省文物考古研究所:党支部书记:杨肇清

        副 书 记:秦曙光 (1994年4月)

        委   员:杨育彬 赵 清 代伦英

        名誉所长:安金槐

        所   长:杨育彬

        副 所 长:许天申

            秦曙光(1995年5月)

秦文生(1997年1月)

孙新民(1997年1月)

11. 1998年1月—1999年3月

河南省文物考古研究所：党支部书记：杨肇清

副　书　记：秦曙光

委　　　员：秦文生　孙新民　代伦英

所　　　长：杨肇清

副　所　长：秦曙光　秦文生　孙新民

12. 1999年3月—2007年11月

河南省文物考古研究所：所　　　长：孙新民

副　所　长：秦文生(2006年10月调离)

张志清(1999年8月)

马萧林(2006年1月)

贾连敏(2006年12月)

党支部书记：秦曙光(2007年11月调离)

委　　　员：孙新民　秦文生　张志清　代伦英

13. 2007年11月—至今

河南省文物考古研究所：所　　　长：孙新民

副　所　长：魏周兴

张志清(2010年6月调离)

马萧林(2010年11月调离)

贾连敏

赵新平(2009年1月)

孔德超(2010年11月)

贾付春(2010年11月)

所长助理：杨文胜

党总支书记：魏周兴

副　书　记：孙新民

支　　　委：贾连敏　孔德超　赵新平　贾付春

李延斌

岁月记忆

岁月记忆
现 状

现行所领导体制

所长、副所长
所长：孙新民
副所长：魏周兴　贾连敏　孔德超　赵新平　贾付春
所长助理：杨文胜

中共河南省文物考古研究所党总支部委员会
书记：魏周兴
副书记：孙新民
支委：贾连敏　孔德超　赵新平　贾付春　李延斌

所学术委员会
主　　任：孙新民
副 主 任：贾连敏
成　　员：赵新平　李占杨　方燕明　胡永庆　刘海旺　樊温泉
　　　　　魏兴涛　赵志文

机构设置
1. 办公室
主　　任：李延斌
成　　员：刘晓红　宋智生　王胜利　朱树政　邢　颖　将中华
　　　　　吴小玲　慕俊红
工作职能——负责本所党务、政务、综合协调、人事劳资、行政后勤、文明创建和岗位职责的监督检查工作，负责本所离退休干部职工的服务管理和工作目标的管理。

2.基建考古办公室：

主　　任：楚小龙

成　　员：赵志文　郭向亭　安　静　李一丕　周立刚

工作职能——负责本所科研规划和考古发掘项目的申报管理，协调检查田野考古发掘项目，统一安排文物保护技术工作。

3.第一研究室

主　　任：李占扬

成　　员：潘伟斌　李胜利　裴　涛　曹艳朋　张小虎

工作职能——负责商以前地下文物保护和考古发掘工作，承担上级和本所下达的科研项目。

主要研究领域和学术课题：

研究领域是在配合基本建设的前提下，研究我省旧石器时代和探索新石器时代文化的渊源、类型、分期、分布及社会经济形态，研究夏商文明，探讨中国文明起源及中国商代以前的有关学术问题。

近期的学术课题是探索旧石器时代与新石时代之间的发展关系；探索我省新石器时代文化的区系类型、相互关系及部落形态，研究中国史前文明起源。

4.第二研究室

主　　任：樊温泉

副 主 任：王龙正　马俊才

成　　员：姜　涛　曾晓敏　武志江　梁法伟　张明力　郭　亮

工作职能——负责郑州、新郑两个工作站的文物考古和保护管理工作，承担上级和本所下达的科研项目。

主要研究领域和学术课题：

研究领域：夏商周田野考古学，商周时期诸方国的分布和社会形态及相互关系，商周时期科技史发展诸方面课题研究及其青铜器、玉器、金属器文物的产生、发展、类型、分期等。

近期学术课题：商周时期诸侯方国都城的布局和社会形态探讨，西周时期玉器制作的特点与工艺特征。

5.第三研究室

主　　　任：刘海旺
副 主 任：赵文军
成　　　员：马晓建　黄克映　郭培育　郭木森　李　辉　赵　宏
　　　　　　朱汝生

工作职能——负责秦汉以后地下文物保护和考古发掘工作，承担上级和本所下达的科研项目。

主要研究领域和学术课题：

通过对河南省境内秦汉及其后古代文化遗存的调查与考古发掘，研究中原地区古代社会的政治、经济、文化、艺术、科技等的发展状况。近期重点研究方向是：巩县唐三彩窑址的进一步调查与研究，宋汝瓷窑址的考古发掘与全面研究，中原古代冶金技术发展的进一步探讨。

6.科技考古室

主　　　任：魏兴涛
副 主 任：杨树刚
成　　　员：侯彦峰　孙　蕾　蓝万里

工作职能——负责田野出土动物骨骼和人骨收集研究，承担上级和本所下达的科研项目。

7.《华夏考古》编辑部

主　　　任：方燕明
成　　　员：辛　革　李素婷

工作职能——负责《华夏考古》的编辑、出版、发行工作。

《华夏考古》创建于1987年，是集学术性和资料性为一体的考古学季刊。以刊登田野考古报告以及考古文物研究、考古技术与文物保护、考古理论和方法、古文字研究等论文为主，同时刊登翻译文章、学术动态、书评以及文物鉴赏等。系中国人文社会科学核心期刊和河南省一级期刊，历任主编：贾峨、郝本性、杨育彬、杨肇清，现任主编：孙新民。

8.计财科

科　　　长：王文新

成　　员:朱君　任潇　谢鑫

工作职能——负责本所财务管理和事业经费、文物考古保护专项经费的使用管理工作。

9.资料室

主　　任:胡永庆
副 主 任:李素婷(兼)
成　　员:李秀萍　王聪敏　祝容　韩越　衡云花　聂凡
　　　　　孙静祎　郭冰

工作职能——负责本所文物、文物资料的收藏、建档和管理利用,以及图书资料的管理、借阅、信息服务等工作。

10.技术室

主　　任:祝贺
成　　员:郭民卿　王蔚波　杨玉华　李晓莉　杜卓

工作职能——负责本所照相、录像和绘图工作。

11.文物保护室

主　　任:陈家昌
成　　员:马新民　郭移洪　唐静　王立彬　赵晟伟

工作职能——负责本所文物保护技术、修复等研究工作,文物保护方案制定,科研项目的落实。

12.保卫科

科　　长:朱庆伟
成　　员:白宜郑　谢巍　郭洋

工作职能——负责本所库藏文物、田野考古工地文物和国有资产的安全,以及治安、消防管理工作。

派出机构

1. 西山整理基地（含工作站）

主　　任：韩朝会

成　　员：孙建国　王建民

工作职能——主要任务是完成所内考古发掘工地出土文物收存整理，同时，争取国家文物局和河南省文物局在西山遗址保护经费的支持，确保遗址保护工作的顺利开展。对西山遗址目前的主要工作是，遵照国家文物局和河南省文物局关于加强郑州西山遗址的保护意见，加强对西山仰韶文化古城城址的保护和开发利用工作。

设立于1999年10月，其主要任务是遵照国家文物局和河南省文物局关于加强郑州西山遗址的保护意见，加强对西山仰韶文化古城城址的保护和开发利用工作。自建站以来，拟定了《郑州西山仰韶遗址保护方案》，确定了西山遗址的保护范围，制作了保护标志牌，建立了"四有"保护档案。西山整理基地2006年动工，2010年竣工投入使用，建筑面积6000m²，目前的主要工作是完成所内考古发掘工地出土文物收存整理，同时，争取国家文物局和河南省文物局在西山遗址保护经费的支

郑州西山整理基地

持,确保遗址保护工作的顺利开展。

2. 郑州工作站

站　　长：杨树刚

成　　员：曾晓敏

设立于1974年,其主要任务是配合基本建设,对郑州商代遗址进行考古发掘与研究。自建站以来,配合基本建设考古发掘项目近300项,发掘面积5万平方米,在郑州商城内找到了商代宫殿区,并发现大面积宫殿基址、宫城墙、人头骨壕沟、输供水管道、蓄水池、水井以及青铜器窖藏坑、商代墓葬区、制铜、制骨作坊等主要遗迹。并为国家"九五"重点科研项目夏商周断代工程提供了大量可供测年的 ^{14}C 标本,为确立夏商分界奠定了坚实的基础。历任站长：安金槐、杨育彬、陈嘉祥、宋国定、贾连敏,现任站长杨树刚。当前的主要工作是：配合城市经济建设,对郑州商代遗址宫殿区域进行考古发掘研究工作。

3. 新郑工作站

站　　长：樊温泉

岁月记忆

成　　员：郭　亮

设立于1963年10月，至今已有近40年的历史，其主要任务为：加强郑韩故城及其周边地区的文物保护、钻探调查和发掘研究工作。自建站以来，先后对郑韩故城布局、形制、宫殿遗址、铸铁、制骨遗址及墓葬区，白庙范铜器兵器坑、韩国王陵墓区，郑国王室祭祀遗址，郑国春秋墓区与车马坑，新密古城寨龙山时代城址等处进行了考古发掘与科学研究，取得了世人瞩目的成就。历任站长：李德保、蔡全法、马俊才，现任站长樊温泉（兼）。当前的主要任务是：配合城市经济建设，对郑韩故城及其周围进行考古发掘研究工作。

4.登封工作站

站　　长：王胜利

设立于1976年8月25日，其主要任务是对登封王城岗龙山文化城址和东周阳城遗址进行文物保护和考古发掘研究工作，同时在考古发掘的基础上，建立了王城岗和阳城遗址出土文物陈列室。历任站长：安金槐、李京华、曹桂岑、郑杰祥、刘式今、翟继才、王明瑞、马全、王胜利（小）等，现任站长：王胜利（大）。当前的主要工作是加强对登封王城岗龙山文化城址与东周阳城遗址的保护工作。

新郑工作站

所内一角

离休人员：

贾 峨　李德保　陈嘉祥　贾树德

退休人员：

王润杰	郝本性	杨育彬	杨肇清	赵青云	李京华	赵世纲	曹桂岑
王明瑞	马 全	陈焕玉	罗桃香	李茂云	臧广兰	杨 磊	夏麦陵
刘明安	石海棠	周田芹	韩其逸	代伦英	郭延梅	赵 清	蔡全法
牛怀平	韦青川	毛杰英					

已故人员：

张喜林	李广义	徐风山	韩维周	付作霖	李清水	韦文义	冯东林
崔玉林	李敬昌	东 红	邓昌宏	马志祥	赵鸿勋	高秋菊	王治国
张学兴	武志远	冯天成	丁清贤	裴明相	冯忠义	安金槐	翟继才
毛宝亮	王桂枝	李永青	李长武	李青峰	王兆文		

岁月记忆

岁月记忆
个人简历

正高级专业技术人员

(依姓氏笔画为序,同姓单字排前)

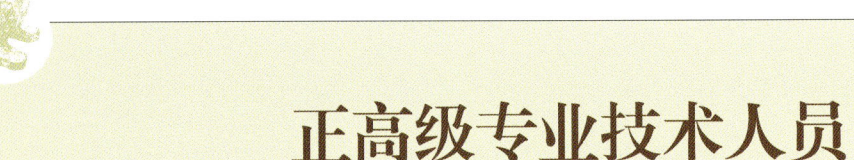

马俊才

男,汉族。1966年3月生,河南省博爱县人。

1989年北京大学考古系毕业,获历史学学士学位,同年分配到河南省文物考古研究所工作至今。现任第二研究室副主任,研究馆员,考古领队。

长期从事一线考古发掘,研究方向为先秦时期城址、陵墓、聚落、冶金考古、金属铸货币学等,具有较丰富的先秦文献知识和考古发掘经验,能主持大中型古城、诸侯级陵墓与陵园、大型聚落、大型墓地、复杂车马坑等大遗址考古发掘。主持过新郑市"郑韩故城"内外郑公陵园、韩宫城、监狱铸钱遗址、冯庄制陶遗址、能人大道制陶遗址,新郑市许岗韩国王陵,新郑市胡庄韩国王陵,遂平县"吴房故城"北城墙,新密市古城寨龙山城址,上蔡县"蔡国故城"北城墙和蔡国贵族墓地,上蔡县郭庄楚墓,安阳殷墟孝民屯商代遗址等多项大中型发掘项目。其中新郑胡庄墓地等3项被评为当年"全国十大考古新发现",殷墟孝民屯遗址和新郑胡庄墓地被评为"国家文物局田野考古奖"二等奖。发表专著《流沙疑冢》,作为主要作者著有大型发掘报告《新郑郑国祭祀遗址》,先后在省级以上刊物上发表以《郑韩两都之考古学复原研究》为代表的论文和发掘简报40余篇。

个人简历

王龙正

男,汉族。1963年生,河南邓州市人。

1985年毕业于西北大学历史系考古专业,获历史学学士学位,同年分配到河南省文物考古研究所工作。现任第二研究室副主任,研究馆员。

长期在第二研究室从事田野考古工作,先后参加或主持过平顶山应国墓地、三门峡虢国墓地、三门峡虢国都城上阳城、叶县文集宋元遗址等大型考古工地的发掘工作。其中"上村岭周代虢国墓"获1990年全国十大考古新发现,"三门峡上村岭西周虢仲墓"获1991年全国十大考古新发现,"平顶山应国墓地"获1996年全国十大考古新发现,"叶县文集宋元遗址"获2008年度河南省五大考古新发现;出版专著3部,发表学术论文与考古发掘简报等40余篇。承担科研课题《文王、武王、周公、召公庙号研究》为2009年河南省社会科学规划项目。主持编写的大型考古报告《平顶山应国墓地》即将出版。

研究方向为商周考古。

主要代表作有:

《三门峡虢国墓地》(第一卷),文物出版社,1999年。

《三门峡虢国女贵族墓出土玉器精粹》,台湾众志美术出版社,2002年版。

《匍盉铭文补释并再论觐聘礼》,《考古学报》2007年1期。

《周代丧葬礼器铜翣考》,《考古》2006年9期。

《释诞、延、言(上篇)——《尚书》、《诗经》诞、延、言字新解》,《桃李成蹊集——庆祝安志敏先生八十寿辰》,香港中国考古艺术研究中心出版,2004年。

《从应国墓地发掘看应国的灭国与复国——兼谈楚平王"复国行动"的历史背景》,《楚文化研究论集》第七集,岳麓书社,2007年。

《应侯见工鼎与西周征三苗》,《纪念徐中舒先生诞辰110周年国际学术研讨会论文集》,巴蜀书社,2010年。

岁月记忆

方燕明

男，汉族。1955年出生于黑龙江省哈尔滨市。

1977年参加考古工作，1986年毕业于吉林大学历史系考古专业。现任河南省文物考古研究所研究馆员、《华夏考古》编辑部主任，中国社会科学院古代文明研究中心客座研究员、烟台大学中国学术研究所兼职教授。研究方向为新石器时代和夏商考古。主持或参与主持河南灵宝涧口遗址、郑州站马屯遗址、登封王城岗遗址（入围2004年全国十大考古新发现终评）、禹州瓦店遗址（获2009—2010年度国家文物局田野考古奖三等奖，为2010年河南省五大考古新发现，入围2008年和2010年全国十大考古新发现终评）、香港沙下遗址考古发掘与研究、登封禹州颖河两岸聚落考古调查等田野考古工作。

主持国家科研课题七项："九五"国家重点科技攻关计划"夏商周断代工程——夏代年代学研究——早期夏文化研究"，2001年度全国文物博物馆事业人文社会科学重点研究课题"田野操作规程修订完善的前期研究"，"十五"国家重点科技攻关项目"中华文明探源工程预研究——登封王城岗遗址周围龙山文化遗址的调查"和"中华文明探源工程（一）——王城岗遗址的年代、布局及周围地区聚落形态"，国家科技部"十一五"科技支撑计划项目"中华文明探源工程（二）——颖河中上游流域聚落群综合研究——以河南登封王城岗和禹州瓦店为中心"和"中华文明探源工程及其相关文物保护研究——禹州瓦店遗址聚落形态研究"，国家社会科学基金重点项目"禹州瓦店遗址2007-2010年考古发掘报告"。

主编并出版考古专著三部：《河南新石器时代田野考古文献举要》、《禹州瓦店》（获"2004年度河南省社会科学优秀成果一等奖"）、《登封王城岗考古发现与研究》（获"2007年度河南省社会科学优秀成果一等奖"和"2007年度河南省优秀图书一等奖"）。在考古文物等专业报刊和文集上发表考古报告和论文50余篇。

主持编辑出版《华夏考古》（中文核心期刊、CSSCI期刊）100期，《华夏考古》荣获"全国社会科学期刊优秀社科学术理论期刊提名奖"、"中国期刊方阵双效期刊奖"，河南省第三、四、五届社会科学优秀期刊奖，第一、二、三届河南省社会科学二十佳期刊奖。为河南省文物考古研究所编辑并出版考古著作数十部。

个人简历

孙新民

男，汉族。1955年2月生，河南巩义市人，中共党员。

1981年12月毕业于郑州大学历史系考古专业，获历史学学士学位，同年分配到河南省文物考古研究所工作至今。1997年1月任副所长，1999年4月至今任所长、研究馆员、《华夏考古》主编。兼任中国考古学会常务理事、中国古陶瓷学会副会长、河南省文物考古学会执行会长，中国社会科学院古代文明研究中心客座研究员和郑州大学兼职教授、博士生导师。

从参加工作以来，先后负责和主持发掘了开封北宋东京城、巩义北宋皇陵、宝丰清凉寺汝窑址、鲁山段店瓷窑址等10余项大型考古项目。其中，宝丰清凉寺汝窑发掘项目入选2000年全国十大考古新发现，并荣获国家文物局田野考古三等奖。主持完成两项全国哲学社会科学基金资助项目，著有《北宋皇陵》、《宝丰清凉寺汝窑》两部考古报告；主编图书有《河南出土陶瓷》、《巩义黄冶唐三彩》、《河南古代瓷窑》、《黄冶窑考古新发现》、《中国出土瓷器全集》"河南"卷、《中原文化大典·文物典》"瓷器"卷、《汝窑与张公巷窑出土瓷器》和《中国出土壁画》"河南"卷等；参与编写学术专著3部：《河南考古四十年》，《20世纪河南考古发现与研究》、《中国宋代文化》；在专业刊物上发表考古简报和科研论文40余篇。

岁月记忆

辛革

女,汉族。1964年出生于湖南省衡阳市,祖籍山东省安丘。

1987年毕业于北京大学考古系考古专业,获历史学学士学位,同年分配至河南省文物考古研究所。现任华夏考古编辑部编辑,研究馆员。

主要从事田野考古和专业书刊的编辑工作。1987年~1989年先后在上蔡的蔡国故城、新郑郑韩故城制骨遗址进行考古发掘工作。1989年至今在华夏考古编辑部负责汉至明代稿件的审阅、编排及校对工作,同时还编辑了多部大型考古报告和论文集,并有发掘简报、论著及专著若干。2003年参与全国社科基金项目《济源战国秦汉墓》、国家十五重点出版规划项目,河南省文化产业发展重点项目——《中原文化大典·文物典·漆木器、金银器、杂项》副主编。

主要代表作有:

《脱佛钩沉》,《华夏考古》1993年2期。

《斗口跳斗拱及相关问题》,《中原文物》1993年4期。

《从新出土的明太祖诏正岳镇海渎神号碑谈起》,《中原文物》1998年1期。

《明成祖告北海神诏文释读》,《碑林集刊》(五)1999年。

《河南济源出土的汉代彩绘陶》,《东南文化》2000年8期。

《河南济源汉代釉陶的装饰风格》,《文物》2001年11期。

《佛教葬制丛谈》,《华夏文明的形成与发展》,大象出版社,2003年。

《塔中的秘密·佛宝》,上海文艺出版社,2003年。

《龙门石窟》,大象出版社,2004年。

《佛教考古宝藏》,台北,猫头鹰出版社,2004年。

《明代顺阳王墓所见金簪》,《中原文物》2009年4期。

个人简历

李占扬

男,汉族。1961年10月生,河南省太康县人。

1980年~1984年就读于山东大学历史系考古专业。现任河南省文物考古研究所研究馆员、第一研究室主任、国家文物局考古领队。兼任中国古脊椎动物学会理事、中国古人类——旧石器专业委员会委员、山东大学考古系教授、研究生导师、河南许昌古人类研究中心执行主任。

1993年至1997年,主持著名的西峡盆地恐龙蛋化石发掘与研究,获1994年世界十大科技新闻奖;主持许昌灵井旧石器遗址考古发掘(国家文物保护专项、国家自然科学基金资助),获2005、2008年全国重要考古发现。2007年12月17日在灵井遗址9号探方发现"许昌人"头骨化石,被认为是研究东亚古人类演化和中国现代人类起源的重大发现,入选2007年全国十大考古新发现;2010年底至2011年5月,参与指导安阳曹操高陵后期的考古发掘工作;在《人类学学报》、《科学通报》、《考古学报》和国外专业杂志发表论文数十篇。所著《白垩纪之光——西峡恐龙蛋考察漫记》一书,获第四届全国科普作品三等奖;与日本、英国、奥地利等国开展国际合作学术研究,为中方负责人。

系河南省首批"四个一批"人才,2008年影响河南十大社会公民,荣立个人二等功。

岁月记忆

李秀萍

女,汉族。1954年出生于河南省安阳市。

1978年毕业于中山大学历史系考古专业,同年分配到安阳地区文物管理委员会工作。1980年调入河南省文物考古研究所,现任研究馆员。

主要从事田野考古发掘和墓志资料的研究工作,主持或参加过安阳八里庄遗址、修定寺塔基、安阳殷墟孝民屯遗址等地的田野考古发掘工作,以及安阳市和深圳市龙岗区的文物普查工作。出版专著3部,发表考古发掘简报、学术论文30余篇。

主要代表作:
《隋唐五代墓志汇编》河南卷,天津古籍出版社,1991年。
《新中国出土墓志合集》河南卷,文物出版社,1994年。
《安阳八里庄龙山文化遗址发掘简报》,《中原文物》1980年2期。
《安阳北齐和绍隆夫妇合葬墓清理简报》,《中原文物》1987年1期。
《崔儒秀墓志浅折》,《中原文物》1993年1期。
《宁玉墓志考》辨误,《华夏考古》1997年3期。
《练国事墓志浅析》,《河南文物考古论集》(二),中州古籍出版社,
《西周虢国君王的七璜联珠组玉佩》,《收藏家》2000年2期。
《嵇含的学术成就及籍贯、葬地考》,《寻根》2011年2期。

个人简历

李京华

男,汉族。1925月生,河南省栾川县人。

河南省开封艺术学校美术专修班毕业(大专),1953年秋文化部第二届考古工作人员训练班结业,同年任河南省文化局文物工作队田野发掘组长,1980年改任河南省文物研究所研究室主任。研究馆员。兼任河南省文物局考古专家组成员、文物鉴定委员会委员、河南省科学技术史学会副理事长兼秘书长。

曾参加、辅导、主持洛阳多处汉墓群、南阳汉代冶铁遗址、禹州宋元钧窑遗址、淅川下王岗遗址、登封王城岗遗址、鹤壁战国冶铁遗址、濮阳西水坡遗址,山西侯马冶铁遗址和禹王城汉代铸铁遗址,湖北纪南城凤凰山墓群、西城区遗址、红花套遗址、铜绿山遗址的发掘等。近20多年来,偏重于冶金技术史的研究。参加整理出版的重要考古报告有《洛阳西汉壁画墓》、《登封王城岗与阳城》、《南阳瓦房庄汉代冶铁遗址》、《巩县铁生沟遗址》、《汉代叠铸》、《纪南城西区遗址报告》和《山西侯马铸铜遗址》等,出版《中原古代冶金技术研究》、《南阳汉代冶铁》两部专著,撰写考古报告及论文百余篇。其中一篇论文获河南省自然科学优秀论文一等奖,两篇论文获河南省自然科学优秀论文二等奖,一篇论文获河南省社会科学优秀论文二等奖,两部专著获河南省社会科学优秀成果二等奖,一部专著获中国社会科学院考古研究所夏鼐考古学研究成果鼓励奖。

岁月记忆

李素婷

女,汉族。1965年出生于河南襄城县。

1988年毕业于郑州大学历史系考古专业,同年进入郑州大学历史研究所读研究生。1991年毕业,获硕士学位,同年进入河南省文物考古研究所工作至今。先后在资料室、第二研究室、编辑部工作。研究馆员。

长期坚持田野发掘和研究,先后参加或主持过郑州商城、郑州小双桥、滑县三义寨、安阳孝民屯、南阳王营、安阳鄀邓、安阳西高平、三门峡三里桥、荥阳关帝庙等遗址的发掘和研究工作。参与编辑的《华夏考古》杂志多次获得国家和省级奖。参加发掘的郑州小双桥遗址被评为"1995年中国十大考古新发现"。主持的荥阳关帝庙遗址发掘项目荣获2006-2007年度国家文物局田野考古质量三等奖,"2007年度中国六大考古新发现","2007年中国十大考古新发现"。2009年,被河南省文化厅、河南省文物局记个人二等功。主持或参加多项国家或省级科研项目。

研究领域主要为商周考古学。参加出版专著两部,撰写数十篇考古发掘报告、论文。

主要代表作有:

《颍河文明——颍河上游考古调查试掘与研究》,大象出版社,2008年出版。
《河南安阳西高平遗址商周遗存发掘报告》,《华夏考古》,2006年4期。
《河南安阳市孝民屯商代环状沟》,《考古》,2007年1期。
《河南三门峡市南家庄遗址的调查与试掘》,《华夏考古》2007年4期。
《河南荥阳关帝庙遗址商代晚期遗存发掘简报》,《考古》2008年7期。
《豫北地区漳河型先商文化的特征、来源及相关问题》,《郑州大学学报》2009年2期。
《郑州小双桥遗址出土长方形穿孔石器的岩相特征》,《华夏考古》2009年2期。
《河南荥阳关帝庙遗址考古发现与认识》,《华夏考古》2009年3期。
《安阳鄀邓遗址动物资源的获取与利用》,《中原文物》2009年5期。

个人简历

杨育彬

男，汉族。1937年10月出生，祖籍吉林省长春市。

1961年毕业于北京大学历史系考古专业，同年分配到河南省文化局文物工作队工作，历任考古部副主任、第一研究室副主任兼郑州文物考古工作站站长。1983年调到河南省文物局任副局长。1987年又调回河南省文物考古研究所，历任副所长、所长、《华夏考古》主编、研究馆员。兼任国家文物局田野考古领队培训班考核委员、河南省文物局考古专家组成员、中国考古学会理事、中国殷商文化学会理事、河南省文物考古学会副会长兼秘书长、全国哲学社会科学规划考古学科组（学科评审组）成员、河南大学历史文化学院兼职教授、中国社会科学院古代文明研究中心专家委员会委员。被评为国家有突出贡献专家、文化部优秀专家、全国文博系统先进个人，享受国务院颁发的政府特殊津贴。其简历被收录到美国传记中心（The American Biographical Institute）出版的1996年《世界5000人士名录》（Five Thousand Personalities of the World）和1997年《国际知名人士词典》（The International Directory of Distinguished Leadership）。

先后参加或主持过山西侯马晋都新田铸铜遗址、新郑郑韩故城遗址、上蔡宋墓、三门峡汉唐墓地、郑州商城遗址等处的考古发掘，并组织领导了1984年~1987年河南第二次全国文物大普查。还担任黄河小浪底水库联合考古队队长、平顶山应国墓地和焦作府城村商代城址发掘的田野考古领队，对这些大型考古项目进行规划、协调和现场业务指导。其中平顶山应国墓地被评为1996年度全国十大考古新发现，焦作府城村商代城址被评为1999年度全国十大考古新发现。

参加了国家夏商周断代工程的研究工作和河南省《中原文化大典·文物典》、《河南省文物志》的编纂工作。曾出版独著或合著《郑州商城初探》、《河南考古》、《中国文物地图集·河南分册》、《中国青铜器全集·夏商（1）》、《20世纪河南考古发现与研究》、《河南考古探索》、《河南考古研究》等学术专著16部。其中获河南省社会科学优秀成果最高荣誉奖1项、一等奖2项、二等奖3项、三等奖2项，河南省五个一工程奖1项，河南省优秀图书一等奖1项，全国优秀图书一等奖1项，全国地图出版系统优秀奖1项。发表了独著或合写的《郑州商代城遗址发掘报告》、《^{14}C年代框架与三代考古学文化》、《河南考古的世纪回顾与前瞻》、《改革开放三十年的河南考古》、《郑州商城的考古学研究》、《关于中国古代文明起源与发展的几个问题》等考古发掘报告、简报、研究论文和其他文章200余篇。

岁月记忆

杨肇清

男，汉族。1939年5月出生，四川省广安市人。

1964年7月毕业于四川大学历史系考古专业，同年8月分配至河南省文化局文物工作队（今河南省文物考古研究所）从事文物考古研究工作。1982年12月以来历任河南省博物馆副馆长、河南省文物考古研究所副所长、书记、所长兼书记，研究馆员；曾任《华夏考古》主编。兼任中国建筑学会建筑史分会学术委员、河南大学历史系文博专业兼职教授、河南省科技史学会理事长、河南省文物考古学会常务理事、河南省文物局专家组成员等。

参加工作以来主要从事新石器时代考古，曾先后主持和参与了淅川下王岗、登封王城岗、新密莪沟、濮阳西水坡、郑州西山等十余处遗址的考古发掘和研究工作。合著出版了《淅川下王岗》、《河南考古四十年》、《20世纪河南考古发现与研究》、《永城黄土山与酂城汉墓》等六部专著；先后在《文物》、《考古》、《考古学集刊》、《华夏考古》、《中原文物》、《农业考古》等期刊和专业学术会议论文集上，发表了《河南密县莪沟北岗新石器时代遗址》、《试析裴李岗、磁山文化的定名及其年代早晚问题的探讨》、《略论河南郑州西山发现仰韶文化古城及其重要意义》、《试析华夏文明的起源及形成》、《长国考》、《河南舞阳贾湖遗址生产工具的研究》等70余篇考古报告和学术论文。其中《淅川下王岗》和《20世纪河南考古发现与研究》荣获河南省社科优秀论著一等奖，前者还荣获夏鼐科学基金荣誉奖，《河南考古四十年》荣获省社科优秀论文二等奖。

个人简历

姜 涛

男，汉族。1954年出生于河南省新乡市。

1978年毕业于中山大学历史系考古专业，同年分配到河南省文物考古研究所。曾任第二研究室主任、所专家组成员，研究馆员。

长期从事田野考古与研究工作，曾先后主持过禹州市颍河两岸古遗址的调查与试掘，禹州市瓦店、吴湾、闫寨、崔庄、董庄、冀寨古墓葬，叶县旧县一号墓，平顶山应国墓地、三门峡虢国墓地、三门峡上阳城城址等大型考古项目的发掘工作。主持发掘的应国墓地、虢国墓地M2001、M2009，先后被评为1996年、1990年和1991年的全国十大考古新发现。

研究领域主要为商周考古学，尤其是对玉器、青铜器方面的研究有较深的造诣，并多次应邀参加大型国内外的学术会议和讲学。主编专著4部，撰写学术论文和考古发掘报告50余篇。主编的《三门峡虢国墓地》荣获河南省社会科学优秀成果一等奖、河南省社科联社会科学优秀成果一等奖，并由全国哲学社会科学规划办公室在社科基金项目验收中荣列红榜。

主要代表作：

《三门峡虢国墓》（一），文物出版社，1999年。

《虢国墓地出土玉器的认识与研究》，《东亚玉器》，香港中文大学，1998年。

《三门峡虢国女贵族墓出土玉器精粹》，台湾众志美术出版社，2002年版。

《熙墀藏玉》，文物出版社，2006年。

《虢国墓地的再发掘与认识》，《中国文物报》1991年12月8号。

《商周时期的应国考辨及相关问题》，《河南文物考古论集》（一），河南人民出版社，1996年。

《从天子佩白玉谈起》，《海峡两岸古玉学会议论文专集》，台湾大学出版社，2001年。

岁月记忆

郝本性

男，汉族。1936年1月出生，辽宁海城人，中共党员。

1956年于辽宁省海城高中毕业，1961年北京大学历史系考古专业毕业后留校工作。并于1962年~1966年初就读北京大学历史系考古专业研究生，师从故宫博物院唐兰院长学习殷周考古、青铜器及古文字。1968年到河南省从事文物考古工作，曾主持河南温县东周盟誓遗址、郑韩故城等遗址的考古发掘。1980年参加在美国举办的中国青铜时代展。1999年和2001年曾两次参加美国在波士顿和芝加哥举行的亚洲学年会，并在哈佛大学、加州大学、南加州大学、达慕斯大学等院校做专题讲座。1983年至1993年担任河南省文物考古研究所所长，其间，曾在国家文物局于河南文物考古研究所设立的考古培训中心授课。1992年至1997年参加国家文物局组织的全国各省市博物馆馆藏文物确认专家组，对各地的青铜器等文物进行鉴定工作。还曾受聘为郑州大学、河南大学的客座教授。2010年任河南博物院特聘研究员，在带学生的同时，每周还给学员上课。2010年4月，赴台北中研院历史研究所做访问学者，其间曾到台湾大学等三所大学做专题演讲。同年11月赴日本，并在爱媛大学做曹操高陵等学术讲座。

另外，每年都要承担国家鉴定委员会交付的铜器鉴定任务，并在全国举办的青铜器培训班授课。现为国家文物鉴定委员会委员、中国古文字学会理事、河南省文物局考古专家组副组长。主编的《华夏考古》获国家优秀期刊奖。《周代使用银币的探索》曾在日本学术会上进行交流，并获全国首届金泉奖。主编的《河南汉画像砖拓片精选集》被选做国礼，由江泽民送给原苏联博物馆，并获中联部荣誉奖。参与主编的《中国青铜器全集·东周卷》、《新中国出土墓志·河南卷》、《中原文物大典·文物典》均获得好评。并享受国务院政府津贴，为国家有突出贡献专家。

个人简历

赵 清

男,汉族。1948年5月生,河南省郑州市人。

1975年北京大学历史系考古专业毕业,同年9月分配到郑州市博物馆工作,1986年调入郑州市文物考古研究院,1990年调入河南省文物考古研究所。2000年被聘为研究馆员。曾任第一研究室主任,所党支部委员。2008年退休。

参加工作30多年来,一直在一线从事田野考古发掘和研究工作,主持或参加发掘的主要项目有荥阳西史村遗址、点军台遗址、青台遗址,连霍高速巩义市滩小关遗址、仓西墓地、北窑湾墓地和孟津县有关遗址,黄河小浪底库区和宁西铁路南阳段的调查与发掘工作,南水北调工程荥阳丁楼遗址、京珠高速卫辉市倪湾遗址的发掘工作,以及长江三峡工程重庆市石柱县观音寺遗址、沙湾遗址、公龙背遗址的发掘工作。

在发掘工作的基础上,也做了一些研究工作,主持撰写的专著有《黄河小浪底水库考古报告(一)》,撰写了几十篇考古发掘报告和论文。

研究领域以新石器时代和夏商周考古为主。

主要代表作:

《荥阳点军台遗址1980年发掘报告》,《中原文物》1982年4期。

《试论大河村仰韶文化的分期及类型》,《中原文物》1984年4期。

《黄河流域新石器时代炊器之演变》,《中原文物》1988年1期。

《河南新郑新禹公路战国墓发掘简报》,《考古》1994年5期。

《河南巩义市仓西战国汉晋墓葬》,《考古学报》1995年3期。

《关于龙山文化的考古学思考》,《中原文物》1995年4期。

《巩义市北窑湾汉晋唐五代墓葬》,《考古学报》1996年3期。

《卫辉市倪湾遗址发掘报告》,《考古》2007年5期。

岁月记忆

赵世纲

男,汉族。1932年1月生于焦作。

1951年参加工作,1952年调焦作矿区文化馆,1953年调新乡专署文教科任文物专干,1954年调河南省文物工作队。1969年下放至西华、密县等地劳动锻炼,1974年调密县文化馆。1980年调回河南省文物考古研究所。曾任第一研究室副主任等,研究馆员。1983年赴吉林大学进修古文字学一年。1985年曾携编钟参加在日本筑波举办的世界博览会。1992年退休,1993年受聘为河南省文史研究馆馆员。1999年和2001年两次受邀赴美参加在波士顿和芝加哥召开的全美东亚考古研究会年会,并在哈佛大学等地演讲,介绍河南考古现状。

从事文物考古事业50多年来,曾主持和参加许多重要的遗址、墓葬的调查、发掘工作。如1977年在主持新郑县裴李岗遗址试掘工作中,发现了裴李岗文化。这个发现被誉为中国新石器时代考古的重大突破,填补了中国新石器早期的空白。2001年被评为中国和河南20世纪考古大发现。

50多年来发表考古报告、简报、论文80余篇计100余万字,完成专著三部。其中《淅川下寺春秋楚墓》先后荣获河南省哲学社会科学优秀成果一等奖、中国社会科学院夏鼐考古学优秀成果二等奖暨国家哲学社会科学基金项目优秀成果三等奖。时任中央军委副主席胡锦涛亲临人民大会堂为获奖人员颁奖。《中国音乐文物大系·河南卷》荣获文化部艺术科学优秀成果一等奖。

赵志文

男,汉族。1963年7月出生于河南省孟州市。

中国民主促进会会员。1984年7月毕业于武汉大学历史系考古专业,获历史学学士学位,同年分配到河南省文物考古研究所工作至今。1993年9月,参加国家文物局第七届考古领队培训班,获考古领队资格。曾任第三研究室副主任、主任。研究馆员。兼任河南省古陶瓷学会常务理事,河南省文物考古学会理事。

长期从事田野考古发掘和研究工作,主持或合作完成了40余个考古发掘研究项目,参加或主持过多个大型考古项目的田野发掘与研究工作,主要有永城西汉梁孝王王陵寝园及梁后墓、永城西汉梁王陵黄土山二号墓、登封法王寺二号塔地宫、修武当阳峪瓷窑遗址、巩义白河瓷窑遗址等。其中,永城西汉梁孝王寝园建筑基址考古发掘项目获首届国家文物局田野考古质量优秀工地三等奖,并荣获1994年和"八五"期间全国十大考古新发现。自2000年至今,一直负责与日本奈良文化财研究所合作研究唐三彩项目,并赴日进行学术交流。

研究领域主要为汉代至唐宋考古学。已出版和发表的考古学专著和发掘报告、论文、译文等三十多篇(部)。主要代表作有《永城西汉梁国王陵与寝园》、《巩义黄冶唐三彩》、《巩义白河窑考古新发现》、《中国古陶瓷大系——中国巩义窑》、《河南巩义市白河窑遗址发掘简报》、《略论西汉梁国王陵的结构及特点》、《巩义白河窑北魏白釉瓷器的发现与研究》等。

岁月记忆

赵青云

男,汉族。1932年出生于河南省汤阴县。

1952年毕业于汤阴师范,分配到汤阴县文化馆工作。1953年初参加河南省第一届文物考古训练班学习,后调安阳专署文教科,是年底调河南省文化局文物工作队工作。1955年参加在北京大学举办的全国第四届考古培训班学习。

1960年调河南省委宣传部。1962年主动要求回原单位。先后任发掘组长、业务辅导员、秘书,1970年与省博物馆合并办公任文物队负责人。1981年任副所长,研究馆员。1985年退居二线,任调研员。

曾兼任河南省文物鉴定委员会委员、河南省文物局考古专家组成员、中国古陶瓷学会副秘书长、中国艺术品收藏家协会首席专家、河南古陶瓷研究会会长、深圳大学名誉教授等。在职期间曾领队参与发掘钧台窑、宝丰清凉寺汝官窑、鹤壁集窑及临汝严河店窑等,从而找到了宋代五大名窑中的钧窑与汝官窑窑口,解决了历史悬案。还对全省古窑址作过全面勘察,编写出版《河南陶瓷史》、《禹州钧台窑》、《汝官窑的新发现》及其《唐青花瓷研究》等20余部专著,发表论文190余篇,曾分别荣获省优秀论著一、二、三等奖。还先后为国家文物局郑州专科学校、扬州及泰安陶瓷鉴定班和河南大学、郑州大学授课,对培养年轻的文物工作者做出了应有的贡献。

个人简历

胡永庆

男,汉族。1964年3月出生于河南省孟州市。

1985年毕业于南京大学历史系考古专业,获历史学学士学位,同年就职于河南省文物考古研究所工作至今。曾任《华夏考古》编辑部副主任,现任资料室主任,研究馆员,兼任楚文化研究会常务理事,河南省博物馆学会常务理事,河南省文物考古学会理事。

先后工作于第一研究室、《华夏考古》编辑部和资料室,曾主持或参加了郑州商城遗址,淅川和尚岭、徐家岭、吉岗、阎杆岭墓群,渑池关家遗址、济源峡北头墓地等地的发掘以及丹江口水库河南淹没区等地的文物调查工作。其中淅川和尚岭与徐家岭楚墓获1992年度全国十大考古新发现。参与承担指南针计划"中国古代玻璃的价值挖掘与数据库建设研究"等国家级项目2项。编辑的《华夏考古》杂志多次获得国家和省级奖,并编辑出版了10余部考古发掘报告、专著。

研究领域主要为商周考古学和楚文化研究。出版专著2部,撰写40余篇考古发掘报告、论文和译文。主要代表作有:

《淅川和尚岭与徐家岭楚墓》,大象出版社,2004年。

《中国古代细木工榫接合工艺的起源与发展》,《华夏考古》1989年2期。

《试论淅川县境内的小型楚墓》,《楚文化研究论集》第四集,河南人民出版社,1994年。

《秦楚丹阳大战与淅川吉岗楚墓》,《中原文物》2003年5期

《丹江口水库河南淹没区考古学课题的思考》,《华夏考古》2005年3期。

《河南淅川徐家岭出土中国最早的蜻蜓眼玻璃珠的研究》,《中国科学》2009年第39卷第4期。

岁月记忆

贾　峨

男,汉族。1925年生于河南省光山县城关镇。

靠父亲体力劳动维持生活。1948年12月投奔中原解放区参加革命工作。1949年10月被安排在新华社陕州支社当记者,1950年支社撤销,被调到洛阳专署文教科工作。不久,洛阳文物组成立。又被调至该组当队员,从事田野发掘工作。洛阳专署和洛阳市的文物组机构一分为二,我被调到专署文物组工作。1954年调至河南省文物队当队员,至1978年下放西华、密县参加体力劳动,接受贫下中农再教育。稍后,调回原单位担任第三室副主任、编辑室主任。1983年被评聘为河南省文物研究所副研究馆员,不久又被评聘为研究馆员。1992年离休。

主要代表作:

《中国玉器全集·第三集·春秋战国卷》,河北美术出版社,1993年6月。

《河南出土商周青铜器》(一),文物出版社,1982年8月。

《信阳楚墓》,文物出版社,1986年。

《关于河南出土东周玉器的几个问题》,《文物》1983年4期。

《关于登封王城岗遗址几个问题的讨论》,《文物》1984年9期。

《关于东周错金镶嵌铜器的几个问题的探讨》,《江汉考古》1986年4期。

《陶瓷之路与丝绸古道的连接点》,《江西文物》1991年4期。

《关于新干大墓几个问题的探讨》,《南方文物》1994年1期。

个人简历

贾连敏

男，汉族。1966年12月出生于河南省郸城县。

1990年7月中山大学研究生毕业，获古文字学专业硕士学位，同年9月分配至河南省文物考古研究所工作至今。1995年至1996年参加国家文物局田野考古领队岗位培训，获考古领队资格。2004年被评聘为研究馆员。2006年任河南省文物考古研究所副所长。

长期从事田野考古发掘与研究工作。主持或参加了淅川丹江库区楚墓、潢川黄国墓地、三门峡虢国墓、新郑郑韩故城、郑州商代遗址等大、中型考古发掘项目，取得了重要收获。承担完成了一些科研项目，如国家哲学社会科学基金项目《三门峡虢国墓》，为副主编，主要执笔者，成果获河南省社科优秀成果一等奖和河南省社科联社会科学优秀成果一等奖；参加完成了国家哲学社会科学基金项目《新蔡葛陵楚墓》的编写工作，主要承担了项目中的竹简整理和释文，成果获河南省社科优秀成果一等奖；在《文物》、《华夏考古》、《华学》等学术刊物上发表论文和考古报告近20篇。

研究领域涉及商周玉器、青铜器、古文字等方面。

主要代表作：

《虢国墓地出土商代小臣玉器铭文考释及相关问题》，《文物》1998年第12期。

《虢国墓地出土商代王伯玉器及相关问题》，《文物》1999年第7期。

《古文字中的"祼"和"瓒"及相关问题》，《华夏考古》1998年3期。

《新蔡楚简中的祭祷文书》，《华夏考古》2004年第3期。

《新蔡竹简中的楚先祖名》，《华学》第七辑，2004年12月。

岁月记忆

曹桂岑

男,汉族。1936年9月生,河南遂平县人。

1961年西北大学历史系考古专业毕业,后被分配到河南省文物考古研究所工作。曾任研究员,第一研究室主任,湘鄂豫皖楚文化研究会副秘书长,河南省文物考古学会副秘书长,河南省文物局考古专家组成员,河南省文物鉴定委员会成员,河南省炎黄文化研究会副会长,河南省第八届省政协委员,河南省省管优秀专家。

长期从事田野考古和研究工作,曾主持淅川下王岗、淮阳平粮台、郾城郝家台、汤阴白营遗址和丹江水库楚墓、淮阳马鞍冢楚墓的发掘。对新石器时代的考古文化、古城址、古代文明和楚文化有研究,并有新见。出版《淅川下王岗》、《淅川和尚岭与徐家岭楚墓》、《中原文化大典·聚落卷》、《郾城郝家台》等书,撰写考古报告和论文80余篇。

个人简历

蔡全法

男，汉族。1946年12月生，河南孟津县人。

1972年参加工作，长期在河南省文物考古研究所从事考古发掘研究工作，为河南省文物考古研究所研究员。曾历任所第二研究室副主任兼新郑工作站站长、业务科科长等职，并具有国家考古领队资格，兼任河南省文物考古学会常务理事。

曾先后参加过密县汉墓石刻拓片和壁画临摹，少林寺千佛殿壁画临摹、揭取、复原工作，登封王城岗遗址的发掘等。长期主持郑韩故城、新密古城寨龙山城址的发掘。主编著作两部，合作主编著作一部，合著著作两部，撰写发表论文、简报、报告和其他文章170余篇。负责完成国家社会科学基金研究项目，国家"十五"攻关研究项目子课题各一项，参加国家自然科学基金研究项目一项，部级和省级科研项目各1项。主持发掘的郑国祭祀遗址，入选1997年"全国十大考古新发现"。主持调查发掘的新密古城寨龙山城址，入选2000年"全国十大考古新发现"，并获得国家此项考古发掘领队奖。1995年2月至5月分别荣获河南省文化厅直属单位、中共河南省工委和人事厅授予的"十佳职工"称号。

1990年，《郑韩故城出土陶文简释》获河南省社科优秀论著三等奖。合作完成的少林寺千佛殿壁画揭取复原项目，1988年7月和1988年11月分别荣获河南省文化科技进步三等奖和国家文化部科技进步四等奖。2002年被推选为河南省九届政协委员，2005年又被河南省政府聘为省文史研究馆馆员。2007年被新郑市政府和新郑黄帝故里文化研究会授予黄帝文化研究终身贡献奖，2010年被中华炎黄文化研究会和新郑黄帝故里文化研究会授予黄帝文化研究杰出贡献奖。现已退休，仍主持《新郑郑韩故城》发掘报告的编写研究工作。

岁月记忆

樊温泉

男，汉族。1965年出生于河南省南阳市。

1986年毕业于武汉大学历史系考古专业，获历史学学士学位，同年进入河南省文物考古研究所工作。1995年获国家文物局田野考古发掘领队资格。现任第二研究室主任，研究馆员。

先后在第一研究室、第二研究室从事田野考古工作，曾主持或参加过邓州穰东、新密黄寨、浚县鹿台、新安县西沃、麻峪、马河、太涧、渑池关家、唐河回龙寺、郾城郝家台、鹿邑栾台、南阳龚营、三门峡庙底沟等遗址及桐柏月河春秋墓地、新密超化汉墓群、三门峡虢国墓地、新郑郑韩故城的考古发掘。出版专著3部，撰写50余篇考古报告、简报、论文。

研究领域主要为新石器时代考古学、商周考古学及汉代考古学。

主要代表作：

《黄河小浪底水库考古报告》（一），中州古籍出版社，1999年。

《三门峡庙底沟唐宋墓葬》，大象出版社，2005年。

《郑韩故城兴弘花园与热电厂墓地》，文物出版社，2006年。

《浅析密县汉画像砖中的现实主义手法》，《中原文物》1996年增刊。

《密县汉画像砖的分期与研究》，《江汉考古》1998年4期。

《仰韶文化庙底沟类型的发现与研究》，《三门峡文史资料》第十二辑，2003年。

《关于黄帝文化研究的几个问题》，《黄帝故里故都在新郑》，中国文联出版社，2005年。

《试论河南境内的西王村类型文化》，《中原地区文明化进程学术研讨会文集》，科学出版社，2006年。

《河南三门峡市庙底沟遗址仰韶文化》，《考古》2011年12期。

个人简历

魏兴涛

男,汉族。1966年7月生,河南省鲁山县人。

中共党员。河南省宣传文化系统第三批"四个一批"人才。1991年7月郑州大学硕士研究生毕业,同年分配到河南省文物考古研究所。2011年1月获得北京大学博士学位。先后在第二研究室、第一研究室、科技考古研究室工作,曾任第一研究室副主任,现任科技考古研究室主任,研究馆员。

历年来承担大量考古调查、发掘项目。曾主持河南济源留庄、西平上坡、汝南张楼、三门峡南交口、三门峡李家窑、沁阳邘国故城、沁阳西万、新郑华阳故城、新郑苑岭故城、平顶山蒲城店、灵宝底董、西平徐楼、重庆万州铺垭等遗址的发掘;参加了中美合作颍河上游考古调查与综合研究项目,与中国社会科学院考古研究所联合主持灵宝铸鼎塬聚落考古课题的工作,目前正主持国家社会科学重点项目《平顶山蒲城店》课题的研究工作。

主持发掘的平顶山蒲城店遗址被评为2003—2004年度国家文物局田野考古二等奖;参与编著的《黄河小浪底水库考古报告》(一)获得2000年河南省社会科学优秀成果三等奖;编著的《三门峡南交口》获得2009年河南省社会科学优秀成果二等奖。

参与或主持编写考古发掘报告专著4部,发表考古报告、简报、论文、文章等60余篇。研究方向为史前考古。

主要代表作:

《黄河小浪底水库考古报告》(一),中州古籍出版社,1999年。

《豫东杞县发掘报告》,科学出版社,2000年。

《颍河文明》,大象出版社,2008年。

《三门峡南交口》,科学出版社,2009年。

《试论豫东西部地区龙山时代文化遗存》,《华夏考古》1995年1期。

《试论下七垣文化鹿台岗类型》,《考古》1999年5期。

《河南灵宝西坡遗址105号仰韶文化房址》,《文物》2003年8期。

《蒲城店二里头文化城址若干问题探讨》,《中原文物》2008年3期。

《中原地区龙山城址的年代及兴废原因探讨》,《华夏考古》2010年第1期。

副高级专业技术人员

(依姓氏笔画为序,同姓单字排前)

王蔚波

男,汉族。1963年出生于河南省偃师市。

毕业于河南大学美术系。1981年进入河南省文物考古研究所工作。现任副研究馆员。兼任中国考古学会会员、中国文物学会文物摄影委员会常务理事、日本文化财写真技术研究会会员、河南省文物考古学会文物摄影委员会副会长兼秘书长、河南省黄河书画院副院长等职。

先后在所办公室、第二研究室、省文物局文物处、所业务科和技术室工作。曾发掘过渑池仰韶村、新郑郑韩故城、上蔡蔡国故城等重要遗址。发表文物专业论著近百篇、文物摄影作品数千幅。

主要研究方向为美术考古、文物摄影。

主要代表作:

《新郑山水寨汉墓发掘简报》,《中原文物》1987年1期。

《新郑东城路古墓群发掘报告》,《中原文物》1988年3期。

《河南新郑河赵一号墓的发掘》,《华夏考古》1991年4期。

《试论文物摄影的表现方法》,《华夏考古》2004年2期。

《论文物数字摄影作品的版权及其相关问题》,《2005年国际博物馆影像技术研讨会论文集》,文物出版社,2005年。

《试论河南汉代彩绘陶俑艺术》,《四川文物·艺术考古》2009年5期。

《文物组合摄影实践与研究》,日本《埋文写真研究》总20期,埋藏文化财写真研究会、奈良文化财研究所,2009年。

《略探中国兔形古玉雕刻艺术》,台湾《历史文物》2011年9期。

个人简历

孔德超

男，汉族。1968年2月出生于河南孟州市。

1988年毕业于郑州大学图书馆学系，同年分配到郑州轻工业学院工作。1996年到河南省文化厅先后任社会文化处、人事科技教育处主任科员。2002年6月到河南省图书馆任副馆长。2010年12月调任河南省文物考古研究所副所长。2007年毕业于中共河南省委党校行政管理学研究生班，2004年被聘为副研究馆员。

主要研究方向为文献资源建设与服务。

主要代表作：

《大学图书馆与信息资源利用》，主编，大众文艺出版社，2003年12月。
《数字图书馆档案技术》，副主编，时代文艺出版社，2006年5月。
《河南省图书馆志》，副主编，吉林文史出版社，2009年7月。
《加拿大国家图书档案馆珍藏》，主编，吉林文史出版社，2009年7月。
《河南省图书馆百年》，副主编，吉林文史出版社，2009年7月。
《网络信息资源导航》，主编，吉林文史出版社，2009年10月。
《网络信息检索效率要素及改善》，《山东图书馆季刊》2004年第3期。
《公共图书馆宣传与形象重塑》，《河南图书馆学刊》2008年第6期。
《省级公共图书馆网站地方文化资源建设分析》，《新世纪图书馆》2008年第4期。
《提高图书情报期刊办刊质量的思考》，《江西图书馆学刊》2008年第4期。
《虚拟社区的知识共享模式研究》，《图书馆学研究》2009年第10期。

岁月记忆

代伦英

女,汉族。1949年出生于河南省新蔡县。

1975年毕业于北京大学考古系考古专业,同年分配至河南省文物考古研究所工作。曾任资料室副主任、主任、专家督导组成员,副研究馆员。

长期从事于图书资料的管理工作。编制了适合我所工作性质和藏书特点的图书分类表,对全部库存图书进行了立类、分类、整理编目、制卡、编排卡片索引(三套)和建账,包括珍善本图书的整理编目,具有一定的版本鉴别能力。完成了图书信息化管理工作。负责完成了标本室的整修、陈列以及文物、资料的清缴工作。参与编写了《中国古代典章制度大辞典》汉至隋唐部分的古钱币章节(中州古籍出版社,1998年),《关于龙山文化的考古学思考》(《跋涉续集》,文物出版社,2006年)。

个人简历

刘海旺

男，汉族。1965年10月出生于河南省新郑市。

1989年6月毕业于郑州大学历史系考古学专业，获历史学学士学位，同年7月，分配至河南省文物考古研究所工作。现任第三研究室主任，副研究馆员。

长期从事田野考古发掘与研究工作，曾先后主持了潢川县高稻场春秋墓葬区、鲁山县望城岗汉代冶铁遗址、重庆市石柱土家族自治县西沱镇观音寺遗址、重庆市丰都县兴义镇庙背后和木屑溪古代炼锌遗址、济源留村新石器时代遗址和西窑头汉墓群、上蔡朱里镇航寨新石器时代遗址、延津县金元沙门城址、内黄县三杨庄汉代聚落遗址、商丘南关唐宋运河码头遗址等考古发掘项目。其中，重庆市丰都县兴义镇庙背后炼锌遗址被评为2003年度三峡库区十项重要考古新发现之一，三杨庄汉代聚落遗址被评为2005年度全国十大考古新发现之一。出版专著一部，发表中、英文考古发掘报告、简报、论文等30余篇，研究领域主要为秦汉及以后历史时期考古和古代冶金考古。

主要代表作：

《中原文化大典·科技典·矿冶卷》，中州古籍出版社，2008年版。

《首次发现的汉代农业闾里遗址——中国河南内黄三杨庄汉代聚落遗址初识》，《考古发掘与历史复原》，《法国汉学》第十一辑，中华书局，2006年。

《莲鹤方壶铸造工艺探研》，《黄帝故里文典·科技论集》，中国文艺出版社，2009年。

《河南内黄三杨庄汉代聚落遗址第二处庭院发掘简报》，《华夏考古》2010年第3期。

《由三杨庄遗址的发现试谈汉代"田宅"空间分布关系》，《西汉南越国考古与汉文化》，科学出版社，2010年。

岁月记忆

杨文胜

男,汉族。1968年12月出生。

1990年大学毕业就职河南省文物考古研究所至今。现任职副研究馆员、所长助理。1994年9月至1997年7月南开大学考古学与博物馆学专业学习,获硕士学位;2000年9月至2006年12月南开大学考古学与博物馆学专业学习,获博士学位;2003年10月至2007年4月留学日本京都大学人间环境学研究科,获博士学位。

就职后先后参加了多项省内考古发掘与调查工作,留学归国后作为考古领队主持南水北调丹江口水库库区水田营遗址、淅川滔河乡水田营墓地、仓房玉山岭东周贵族墓等的田野发掘工作。2009年获得人力资源与社会保障部的择优资助项目,做《从青铜礼乐器制度研究东周转型期社会形态与等级关系》专项研究;2011年获得河南省南水北调中线工程文物保护项目支持,承担《淅川丹江地区楚文化墓葬制度研究》项目的研究。撰写考古发掘报告、论文近30篇。

研究领域主要为商周考古学和先秦史研究。

主要代表作:

《新郑李家楼出土青铜器研究》,《华夏考古》2001年3期。

《青铜纹饰上的先秦观念演变》,《中州学刊》2002年3期。

《春秋时代"礼崩乐坏"了吗》,《史学月刊》2003年9期。

《日本弥生青铜文化与中国青铜文化的比较研究》,《安金槐先生纪念文集》,大象出版社,2005年10月。

《郑国青铜礼乐器祭祀坑相关问题讨论》,《华夏考古》2008年2期。

《出土青铜礼乐器组合与"郑卫之音"》,《中原文物》2008年2期。

《辉县琉璃阁甲乙墓出土青铜器研究》,《收藏家》2009年10期。

《东周时期巴蜀青铜器与中原青铜器的比较研究》,《中国先秦史学会第九届年会论文集》,重庆出版社,2011年5月。

个人简历

陈家昌

男，汉族。1968年12月生，河南郑州人。

1993年毕业于河南大学化工系应用化学专业，2005年3月获西安交通大学环境工程文物保护专业硕士学位，2011年3月毕业于西安交通大学材料学院，获材料学方向工学博士学位。现任河南省文物考古研究所科技保护研究室主任，副研究馆员。

主要在木质文物、考古现场出土文物及土遗址保护等领域进行了较为深入的研究。发表中英文学术论文28篇。合著论文"A library of L-tyrosine derived biodegradable polyarylates for potential biomaterial applications"获河南省教育厅优秀科技论文一等奖；合著论文"氨基酸衍生可生物降解聚酯酰胺的合成与表征"获河南省教育厅优秀科技论文二等奖；"出土干缩变形木质文物润胀复原研究"2010年获得了河南省文物局颁发的"河南省文物科技成果奖"。

主持省部级研究课题三项：国家文物局科研课题"干缩变形木质文物的再饱水润胀复原及脱水定型研究"，河南省重点科技攻关计划课题"丙烯酸盐－二氧化硅复合粒子在土遗址加固保护中的应用研究"，河南省文物局科研课题"干缩变形木质文物的润胀复原研究"。申请国家发明专利2项："出土干缩变形木质文物润胀复原剂"，"干缩变形木质文物的复原方法"。

岁月记忆

赵文军

男,汉族。1966年8月出生于郑州市。

中共党员。现任河南省文物考古研究所副研究员、第三研究室副主任,兼任中国古陶瓷学会理事、河南考古学会古陶瓷专业委员会常务理事兼秘书。

1984年10月参加工作至今,一直在河南省文物考古研究所长期从事田野考古调查、发掘工作。其中主持参与大型考古发掘项目有巩义市宋陵、永城芒砀山汉代梁孝王陵、平顶山蒲城店遗址、平顶山应国墓地、连霍高速拓宽工程巩义段、渑池段古墓群、宝丰清凉寺汝官窑遗址、汝州张公巷遗址、禹州钧窑遗址、安阳相州窑遗址等大型项目。参与主持的"河南平顶山市蒲城店遗址"和"河南省宝丰清凉寺汝官窑遗址"发掘项目分别荣获国家文物局2003—2004年度和1999—2000年度田野考古二等奖和三等奖;参与主持的"宝丰清凉寺汝官窑遗址"和"禹州神垕刘家门瓷窑址"分别获2000年度和2001年度全国十大考古新发现。参与主持的"河南宝丰汝官窑遗址"、"河南禹州神垕刘家门瓷窑遗址"、"河南平顶山蒲城店遗址"分别被国家文物局批准为全国重点文物保护单位。多次参加中国古陶瓷学会主办的国际和全国古陶瓷学术研讨会,并在大会宣读论文。参与编写出版《宋代汝窑》、《汝窑》、《河南古代瓷窑》、《中原文物大典·瓷器卷》、《禹州钧台窑》、《汝瓷珍赏》等专著以及论文数十篇。

个人简历

赵新平

男,汉族。1967年出生于河南省新乡市。

1990年毕业于山东大学历史系考古专业,获历史学学士学位,同年进入河南省文物考古研究所工作。现任副所长,副研究馆员,兼任河南省文物考古学会常务理事。

主要从事田野考古发掘与研究工作,先后参加或主持了罗山天湖商周墓地、郑州西山遗址、鹿邑太清宫唐宋建筑基址、重庆市秀峰一中秦汉墓地、方城平高台遗址、鹤壁刘庄遗址、淅川马岭遗址等十余项发掘工作。并撰写考古报告、简报、研究论文20余篇。

研究领域主要为新石器时代考古学、中国古代早期城址及聚落研究等。

主要代表作:

《1991年罗山考古主要收获》,《华夏考古》1992年3期。

《试论山东龙山文化的历史地位及其衰落原因》,《郑州大学学报》1994年4期。

《河南孟县许村新石器时代遗址》,《考古》1999年2期。

《郑州西山仰韶时代城址的发掘》,《文物》1999年7期。

《试析河南鹿邑县武庄遗址新石器时代遗存》,《考古》2003年2期。

《河南辉县孟庄遗址夏代墓葬及其相关问题》,《东方考古》(四),科学出版社,2008年。

《淅川马岭遗址聚落考古的探索》,《华夏考古》2010年3期。

《鹤壁刘庄下七垣文化墓地的葬俗葬制》,《华夏考古》2010年3期。

岁月记忆

郭木森

男，汉族。1954年出生于河南省孟津县。

1972年到河南省文物考古研究所工作。现任副研究馆员，兼任河南省文物鉴定委员会委员、河南省科技史学会陶瓷史专业委员会常务理事、商丘隋唐大运河古陶瓷文化研究会专家组成员。

长期从事田野考古和研究工作，曾先后主持和参加过宝丰清凉寺汝窑址、鲁山段店窑址、汝州张公巷窑址、巩义黄冶窑址、汝州大峪东沟窑址、新密古城寨龙山文化城址、泌阳下河湾冶铁遗址、宝丰解庄新石器时代遗址、鹿邑太清宫长子口墓、泌阳县粮库汉墓群和郏县王集汉墓群等项目的发掘工作。并撰写考古报告、简报、论文30余篇，专著8部。

研究领域主要为陶瓷考古学。

主要代表作：

《宝丰清凉寺汝窑》，大象出版社，2008年9月。

《汝窑与张公巷窑出土瓷器》，科学出版社，2009年1月。

《宝丰清凉寺汝窑发掘简报》，《文物》2001年11期。

《河南巩义黄冶窑址发掘简报》，《华夏考古》2007年4期。

《河南巩义黄冶窑青花瓷初步研究》，《中国古陶瓷研究》2007年第十三辑。

《河南巩义黄冶窑白瓷》，《中国古陶瓷研究》2007年第十五辑。

《汝州大峪东沟窑发掘简报》，《华夏考古》2009年2期。

《汝州张公巷窑年代的相关研究》，《北宋汝窑青瓷》，财团法人大阪市美术振兴协会，2009年12月。

个人简历

郭培育

男，汉族。1955年3月出生于河南省孟津县。

1972年就职于河南省文物考古研究所工作至今。1995年河南大学美术系美术专业专科毕业，2007年中央党校法律专业本科毕业。曾在技术室和第三研究室工作，现任副研究馆员，兼任中国文物考古学会和河南省文物考古学会会员、中国古陶瓷学会会员、河南省古陶瓷学会会员。

先后工作于第三研究室、技术室。曾主持或参加了郑州商城遗址、登封王城岗、巩义永昭陵上宫、泌阳县粮食局汉墓、信阳潢川黄国春秋墓葬、宁西铁路信阳段、香港沙下遗址、尉氏凉马湖、大马、后陈古墓群和大新庄遗址、孟津县朱家仓墓地、禹州钧台瓷窑遗址、许昌西樊楼汉墓、焦作聩城寨古墓群、驻马店丁塘遗址和吕庄遗址、漯河张烈庄遗址和李盘庄遗址、开封牛头山和宝丰山头郭古墓群等项目的发掘工作，以及《新中国墓志合集·河南·贰》的收集整理工作。出版专著3部，撰写20余篇考古发掘报告和论文。《洛阳出土石刻时地记》和《北宋皇陵》获河南省社会科学优秀成果二等奖，《宋陵》"四有"建档1999年获河南省文物局优秀档案奖。

研究领域主要为商周汉考古学和拓片技术研究。

主要代表作：

《洛阳出土石刻时地记》，大象出版社，2005年。

《北宋皇陵》，中州古籍出版社，1997年8月。

《新中国出土墓志·河南·贰》上下册，文物出版社，2002年。

《禹州钧台窑址新发现》，《文物天地》2005年6期。

《河南钧台窑考古新发现与初步研究》，中国古陶瓷论集，2005年。

《淅川范晔》，《河南文物考古论集》，中州古籍出版社，2006年5月。

《用EDXRF技术研究古名瓷的起源》，《郑州大学学报》2010年1期。

岁月记忆

黄克映

男，汉族。1954年5月出生于河南省偃师市。

1972年到河南省文物考古研究所工作，1987年毕业于武汉大学历史系考古专业，现任副研究馆员。

主要从事田野考古发掘与研究工作，主持或参与发掘的大型遗址有淅川下王岗遗址、登封王城岗遗址、濮阳西水坡遗址、济源原城遗址、济源长泉遗址、新安荒坡遗址、新安太涧遗址。主持发掘的古墓葬群有登封告成煤田、南阳方城胡岗墓地、济源新峡墓地、济源四涧墓地、孟津平乐大型汉墓等。撰写考古报告、论文16篇，独著或合著专著2部。

主要研究领域新石器考古及冶金考古。

主要代表作：

《新安荒坡》，大象出版社，2008年9月。

《济原长泉》，《黄河小浪底水库考古报告》（一），中州古籍出版社。1999年9月。

《从河南信阳孙砦遗址谈我国人工养鱼的起源》，《古今农业》1994年3期。

《信阳县大庙畈与界河铁砂矿冶炼的初步研究》，《华夏考古》1995年3期。

《楚国北部地区编钟铣部参数与音律关系的初步研究》，《第一届中国科技典籍国际会议·考工记》，1998年5月。

《从淅川楚墓出土铜器试析楚国青铜器铸造技术》，《广西民族学院学报》增刊，1999年。

《鹿邑太清宫长子口墓青铜器铸造技术试析》，《鹿邑太清宫长子口墓》，中州古籍出版社，2000年11月。

《淅川楚墓青铜器铸造技术》，《淅川和尚岭与徐家岭楚墓》，大象出版社，2004年10月。

个人简历

曾晓敏

男,汉族。1954年4月16日生,籍贯湖北省武汉市。

1977年开始从事文物考古工作,副研究馆员。

先后参加了登封王城岗、郑州小双桥、郑州商城和河南新蔡葛陵楚墓等大型遗址和大型墓葬的发掘研究工作。其中郑州小双桥遗址被评为1995年中国十大考古发现,被列为2004年国家哲学社会科学基金项目;新蔡葛陵楚墓被列为1998年国家哲学社会科学基金项目,并于2003年被评为河南省哲学社会科学优秀成果一等奖。参加了"九五"国家重点科技攻关计划"夏商周断代工程",主要承担"商前期年代学业的研究"课题中郑州商城和郑州小双桥遗址的文化分期研究与采样的年代测定工作。发表专著、论文、考古发掘报告、简报、简讯等50余篇。

研究领域主要为夏商周考古学。主要代表作:

《郑州商代铜器窖藏》,科学出版社,1992年2月。

《新蔡葛陵楚墓》,大象出版社,2002年10月。

《郑州小双桥遗址的调查与试掘》,《郑州商城考古新发现与研究》,中州古籍出版社,1993年4月。

《1992年度郑州商城宫殿区发掘收获》,《郑州商城考古新发现与研究》,中州古籍出版社,1993年4月。

《郑州商城北大街商代宫殿遗址的发掘与研究》,《文物》2002年3期。

《河南新蔡平夜君成墓的发掘》,《文物》2002年8期。

《郑州商城的考古学研究》,《河南考古探索》,中州古籍出版社,2002年5月。

《郑州商城新发现的几座商墓》,《文物》2003年4期。

《郑州商城外郭城的调查与试掘》,《考古》2004年3期。

岁月记忆

韩朝会

男，汉族。1968年4月出生于河南省偃师县。

1985年12月参加工作，1986年6月到河南省文物考古研究所工作至今。大学学历，中共党员。现任河南省文物考古研究所西山整理基地主任，副研究馆员。2006年获得考古领队资格。

自参加工作以来，主要从事夏商周时期的考古发掘与研究工作。先后参与和主持的考古调查、发掘项目20多项，如郾城郝家台遗址、临汝煤山遗址、郑州商城遗址、方城平高台遗址、鹤壁刘庄遗址、淇县宋庄墓地等。参加发掘的鹤壁刘庄遗址获得2005年全国十大考古新发现。2006年，个人获得河南省文化厅三等功奖励。参加的河南鹤壁刘庄遗址考古发掘项目荣获2006—2007年度国家文物局田野考古奖三等奖。撰写发表考古简报、报告、论文20余篇。

主要代表作：

《鹤壁刘庄——下七垣文化墓地发掘报告》，科学出版社，2012年。

《河南方城县平高台遗址汉墓发掘简报》，《华夏考古》2007年4期。

《河南省鹤壁市刘庄遗址2005年度发掘主要收获》，《东方考古》第3集。

《河南鹤壁市刘庄遗址下七垣文化墓地发掘简报》，《华夏考古》2007年3期。

个人简历

楚小龙

男，汉族。1977年3月出生于陕西西安灞桥。

2000年毕业于武汉大学历史系考古专业，并获学士学位。同年7月进入河南省文物考古研究所工作至今。2004年武汉大学考古系硕士毕业并获硕士学位。2008年获国家文物局田野考古个人领队资格。现任河南省文物考古研究所基建考古室主任，副研究馆员。系湘鄂豫皖四省楚文化研究会会员、中国考古学会会员。

参加工作以来，长期工作在配合国家基本建设田野考古工作一线。参与或主持发掘重庆巫山秀峰一中墓地、确山代楼遗址、平顶山蒲城店遗址、荥阳薛村遗址、淅川贾沟遗址、淅川下寨遗址等多个考古发掘项目。其中参加发掘的平顶山蒲城店遗址2006年获国家文物局田野考古质量二等奖。参与承担国家社科基金项目2项：平顶山蒲城店遗址、信阳罗山天湖商代方国墓地整理与研究；参与承担国家文物局文物保护与科学技术课题1项：河南地区夏商周时期原始瓷器研究。撰写并发表考古报告、研究文章十余篇，参撰著作一部。

研究领域为铜石并用时代至夏商周时期考古。

主要代表作有：

《河南荥阳市薛村遗址2005年度发掘简报》，《华夏考古》，2007年3期。

《河南荥阳薛村遗址唐代纪年墓发掘简报》，《考古》2010年第11期。

《河南淅川县下寨遗址2009—2010年发掘简报》，《华夏考古》2011年第2期。

《河南荥阳薛村遗址商代前期（公元前1500—1260年）埋藏古地震遗迹的发现及其意义》，《科学通报》第12期。

《中原文化大典·文物典·陵寝墓葬》，第三章《两周墓葬》，中州古籍出版社2008年4月。

岁月记忆

潘伟斌

男，汉族。1968年4月生，祖籍河南省新乡市封丘县。

1992年毕业于西北大学文博学院考古专业，同年到河南省文物考古研究所工作。现为副研究员，考古领队，系中国考古学会会员、中国科技考古学会会员、中国古陶瓷协会会员，兼任中国魏晋南北朝史学会理事、安阳殷商研究学会名誉会长、安阳师范学院兼职教授、安阳文化大讲堂主讲嘉宾。获感动安阳2009年度十大新闻人物。

长期以来从事田野发掘和文物研究工作。独立承担了多项国家重点工程项目的文物保护工作，先后主持和参加了多项重大考古发掘项目。2002年，参加香港西贡考古发掘工作。主持发掘的固岸墓地被评为2006年度全国重要考古发现、2007年度全国十大考古新发现，被河南省文化厅记个人二等功。主持发掘的曹操高陵被评为"2009年度全国重要考古新发现"、"2009年度全国六大考古新发现"、"2009年度河南省五大考古新发现"、"2009年度全国十大考古新发现"。撰写报告、简报、论文数十篇，专著3部（《魏晋南北朝隋陵》、《打开北朝之门》、《话说曹操高陵》），合著5部（《中原文化大典·文物典·陵寝墓葬卷》、《曹操墓真相》、《曹操高陵的发现与意义》等）。为中央电视台探索与发现节目组拍摄的《寻找曹操墓》和《发现曹操墓》的学术顾问。2004年和2010年，先后应日本早稻田大学和爱媛大学邀请，前往日本进行学术访问。

个人简历

衡云花

女,汉族。1973年出生于河南遂平县。

1997年7月毕业于郑州大学文博学院,同年就职于河南省文物考古研究所至今。副研究员。系中国古陶瓷学会会员、楚文化研究会会员。

现从事文物保管及国内外文物交流工作。曾参加新郑市能人路战国手工业大型作坊、冯庄春秋战国窑群、郑国贵族墓地、许岗韩王陵等多处遗址和墓葬的考古发掘。参与调查发掘的楚长城资源调查项目获"2009年度河南省五大考古新发现"。编纂河南省第1~5批全国重点文物保护单位记录档案。荣获"第三次全国文物普查先进个人"、"楚长城调查先进个人"、省直文化系统"三八红旗手"等荣誉称号。发表考古简报、论文十余篇,参加编辑及撰稿的专著三部。

研究领域为古陶瓷研究、两周考古。

主要代表作:

《河南新郑市摩托城唐墓发掘简报》,《华夏考古》2005年第4期

《技术发展与先秦古车起源蠡探》,《中原文物》,2007年第6期。

《河南出土楚升鼎综述》,《中原文物考古研究》,大象出版社,2003年2月。

《河南耀州窑系青瓷窑址概论》,《中国古陶瓷研究》第十二辑,2006年10月。

《浅谈早期青花瓷》,《湖南省博物馆刊》,2008年第五辑。

《河南楚长城初探》,《楚文化研究论集》第八集,2009年9月。

《中原文化大典·科学技术典·交通》,中州古籍出版社,2008年4月。

《中原文化大典·文物典·陶塑》,中州古籍出版社,2008年4月。

岁月记忆

岁月记忆
调出人员名录

调出人员名录

中国历史博物馆：陈大章　宋　曼
中国文物研究所：胡继高
中国科学技术大学：张居中
中国科学院研究生院科技考古系：宋国定
首都师范大学：袁广阔
黄河水利委员会计算中心：张淑麟
深圳市博物馆：黄崇岳
河北大学：刘式今
湖北二汽制造厂：赵纯泰
河南省人民政府：王良启
河南省政协：吕振海
河南省公安厅：李建增
河南省人事厅：钤长友
河南省财政厅：高贤臣
河南省人民出版社：鄢　丽
河南省社科院考古所：郑杰祥　马世之

河南省社科院历史所：李绍连

郑州大学：陈　旭　李友谋

河南大学：欧正文

郑州轻工学院：游清汉

河南中医学院：邓永昌

河南省文化厅：李兰亭　肖兴义　侯　旭　王昊宇

河南省文物局：杨焕成　李淑珍　赵会军　司治平　郭振勇　杨振威
　　　　　　　马萧林　秦文生　张志清　陈彦堂

河南博物院：许顺湛　张文军　巩永祥　刘东亚　吕　品　刘建洲
　　　　　　汤文兴　任常中　王天英

河南省古代建筑保护研究所：张家泰　杨宝顺　孙致云　张建中　郭天锁
　　　　　　　　　　　　　张玉石　梁仁智　靳世信　杨宗琪　郭建邦
　　　　　　　　　　　　　陈进良　秦曙光

河南省文物交流中心：赵国璧　贺馨甫　王典章　王绍英　张秀英　许天申

河南省歌舞剧院：李为允

河南省艺术学校：崔苏生

河南省文化艺术干部学校：焦克华

河南省电影电视学校：张清甫

河南人民剧院：王淑兰

河南影院：孙宝德

河南省金属公司：赵芯仙

河南省建筑公司：李树勋

河南省金属仓库：要宝彦

郑州水工机械厂：周　遂　李玉良

郑州国棉三厂：阎淑贞

郑州市文物局：任　伟

郑州市博物馆：廖庆山

郑州市立体声电影院：梁　荣

郑州绿城地毯厂：吉思敬
开封市人民政府：张超人
开封市文物工作队：董　祥
开封县广播站：白周义
洛阳市文物局：黄士斌
洛阳市博物馆：米士诚
洛阳市文物工作队：侯鸿均　高祥发　张长森
洛阳八路军办事处纪念馆：李健永
洛阳拖拉机厂：高志远
洛阳市新华书店：陈克己
洛阳市第三十中学：康　君
洛阳市储运公司：倪自励
洛阳市建筑公司：王易璋
安阳市博物馆：刘笑春
新乡市工业局：王国藩
南阳市汉画馆：崔庆明
濮阳市戚城文物景点管理处：南海森
焦作市文物管理处：罗火金
沁阳市环保局：拜　军
陕县第一中学：刘旭初
巩义市文物保管所：傅永魁
禹州方山煤矿：李侯卿
因工作变动频繁而未落实单位者：李振中　王学法　苗凤莲　曹之轩
　　　　　　　　　　　　　　　徐凤山　顾建中　张永杰　潘庆山
　　　　　　　　　　　　　　　张庆禄　苗长运　齐笑竹　孙如兰
　　　　　　　　　　　　　　　贾宝善　马献学　武振昌　刘巨荣
　　　　　　　　　　　　　　　张希久　杨东砾　张静安　白相聚

已故人员名录

赵全煆	周兆麟	郝天真	路传道	将英芬	赵霞光	尚兴奎	冯蕴华
尹子瑜	武运刚	曹天道	邵宝聚	王怀堂	王云奎	谭金升	李庆生
丁伯泉	周　到	孙传贤	李爱云	杨宝顺	赵国璧	曹天信	孙　煌
蒋若是	贺官保	王儒林	魏仁华	王与刚			

岁月记忆

岁月记忆
学术交流

(一)主办或承办的国际会议和国内会议

中国考古学会第四次年会(1983年)

中国古陶瓷研究会郑州年会(1985年)

湘鄂豫皖楚文化研究会第六次年会(1992年)

河南省文物考古学会第三届会员代表大会(2000年)

中国古陶瓷研究会汝瓷研讨会(2001年)

华夏文明的形成与发展学术研讨会(2002年)

巩义黄冶窑、汝州张公巷窑考古新发现专家研讨会(2004年)

郑州商城遗址发现60周年专家座谈会(2005年)

2005禹州钧窑学术研讨会(2005年)

河南省文物考古学会第四届会员代表大会(2005年)

动物考古国际学术研讨会暨《华夏考古》创刊20周年座谈会(2007年)

湘鄂豫皖楚文化研究会第十次年会(2007年)

早期夏文化学术研讨会(2008年)

先商文化学术研讨会(2009年)

早期白瓷与白釉彩瓷学术研讨会(2009年)

南水北调中线工程考古新发现与研究学术研讨会(2009年)

汉代城市和聚落考古与汉文化国际学术研讨会(2010年)

修武当阳峪窑瓷器学术展暨研讨会(2010年)
纪念郑州商代遗址发现60周年座谈会(2010年)
巩义窑陶瓷艺术展暨学术研讨会(2011年)
黄淮七省考古论坛(2011年)
河南省文物考古学会第五届会员代表大会(2011年)

(二)合作研究项目

1996年~1998年,与美国密苏里州立大学人类学系联合,对颍河上游龙山文化及二里头文化的遗址进行考古调查。

1996年~1997年,与韩国忠北大学博物馆合作,对两国旧石器时代文化和古稻作起源进行研究。

1996年~1998年,与日本滋贺医科大学骨科合作,对古代人类骨病进行调查和研究。

1998年~1999年,与日本京都大学人文科学研究所合作,对商文化与早期古城进行研究。

1998年~2001年,与中国社会科学院考古研究所、澳大利亚拉楚布大学和美国哈佛大学合作,对巩义市境内伊洛河支流坞罗河和休水流域进行聚落考古研究。

1998年~2001年,与美国哈佛大学东亚法律研究所合作整理温县盟书报告。

2000年~2002年,与法国国立科学研究中心和武汉大学合作发掘南阳龚营遗址。

2000年至今,连续十余年与日本奈良文化财研究所合作,对巩义黄冶窑址出土唐三彩进行研究,并于2008年在日本奈良举办了"黄冶窑考古新发现展"。

2003年~2005年,与日本九州大学合作,对新郑郑韩故城出土人骨进行古病理方面研究。

2009年~2011年,与美国圣路易斯华盛顿大学合作研究内黄三杨庄汉代聚落遗址地学环境变迁。

2010年~2012年,与日本爱媛大学合作开展铁器保护项目。

2010年~2012年,与日本奈良文化财研究所合作,对灵井细石器进行研究,并于2010年在日本奈良举办了"河南细石器图片展"。

2011年~2013年,与奥地利维也纳大学人类学系合作,运用虚拟成像学中的技术复原化石,进而研究许昌人的种属问题。

岁月记忆

岁月记忆
课题项目

(一)全国哲学社会科学基金资助项目(25项)

登封王城岗与阳城(1981年,"六五"重点研究项目)

淅川下寺楚墓(1986年,"七五"重点研究项目)

郑州商城(1991年,"八五"重点研究项目)

舞阳贾湖遗址(1992年)

淅川和尚岭与徐家岭楚墓(1993年)

三门峡虢国墓(1994年)

北宋皇陵(1995年)

郑州西山仰韶文化城址(1996年,"六五"重点研究项目)

平顶山应国墓地(1996年)

辉县孟庄城址(1997年)

新蔡葛陵楚墓(1998年)

新郑郑国祭祀遗址(1999年)

鹿邑西周长子口墓(2000年)

宝丰清凉寺汝窑(2001年,重点资助项目)

济源轵城汉墓(2002年)

温县东周盟誓遗址(2003年,重点资助项目)

郑州小双桥商代遗址(2004年)

淮阳平粮台城址(2005年)
平顶山蒲城店城址(2007年,重点资助项目)
荥阳关帝庙晚商遗址(2008年)
内黄三杨庄汉代聚落遗址(2009年,重点资助项目)
新郑韩王陵(2010年,重点资助项目)
罗山天湖商代墓地(2010年)
禹州瓦店遗址(2011年,重点资助项目)
郑韩故城出土东周陶文整理研究(2011年)

(二)全国自然科学基金资助项目(2项)
舞阳贾湖遗址在稻作起源与古环境研究的地位
灵井许昌人遗址考古发掘与研究

(三)夏商周断代工程项目子课题(2个)
夏代年代学研究——早期夏文化研究
商前期年代学的研究

(四)中华文明探源工程预研究项目子课题(5个)
登封王城岗遗址周围龙山文化遗址的调查
新密古城寨城址的布局与内涵
史前刻画符号研究
济源地区龙山至二里头时期考古学文化的谱系与分期
豫西北地区龙山文化谱系研究

(五)中华文明探源(一)子课题(2个)
灵宝西坡聚落形态研究
登封王城岗遗址年代布局及周围地区聚落形态

(六)中华文明探源(二)子课题(4个)
郑州西山城聚落形态研究
灵宝鼎原聚落形态研究

3500BC-1500BC 河南家畜研究

颍河中上游流域聚落群综合研究

(七)主持和参与中华文明探源(三)子课题(2个)

灵宝西坡墓地

禹州瓦店遗址聚落形态研究

(八)国家文物局文物科研项目(5项)

舞阳贾湖遗址的加速器质谱碳十四年研究(1992年)

新蔡县楚简研究(2002年)

河南境内隋唐大运河遗存的考古学研究(2002年)

出土干变形木质文物的再饱水复原与定型加固研究(2009年)

河南地区夏商周时期原始瓷器研究(2011年)

另外,还分别主持有全国文博人文社会科学研究课题、人事部留学人员科技活动择优资助项目、教育部留学回国人员科研启动基金项目、河南省社会科学基金资助项目、河南省重点科技攻关项目、河南省留学归国科研基金项目和南水北调中线工程文物保护科研课题等。

课题项目

岁月记忆

岁月记忆
出版专著

(一)A类

1.《邓县彩色画像砖墓》 河南省文化局文物工作队编著 文物出版社 1958年

2.《郑州二里岗》 河南省文化局文物工作队编著 科学出版社 1959年

3.《信阳楚墓出土文物图录》 河南省文化局文物工作队编著 河南人民出版社 1959年

4.《巩县铁生沟》 河南省文化局文物工作队编著 文物出版社 1962年

5.《巩县石窟寺》 河南省文化局文物工作队编著 文物出版社 1963年

6.《河南出土空心砖拓片集》 河南省文化局文物工作队编著 人民美术出版社 1963年

7.《河南邓县彩色画像砖》 河南省文化局文物工作队编著 上海人民美术出版社 1963年

8.《河南名胜古迹》 河南省文化局文物工作队编著 河南人民出版社 1964年

9.《汉代叠铸》 河南省博物馆 文物出版社 1978年

10.《河南出土商周青铜器》（一） 河南省文物研究所编著 文物出版社 1981年

11.《安阳修定寺塔》 河南省文物研究所编著 文物出版社 1983年

12.《千唐志斋藏志》 河南省文物研究所编著 文物出版社 1984年

13.《信阳楚墓》 河南省文物研究所编著 文物出版社 1986年

14.《楚文化觅踪》 河南省考古学会 河南省博物馆 河南省文物研究所编 中州古籍出版社 1986年

15.《河南钧瓷汝瓷与三彩》 河南省文物研究所编著 紫禁城出版社 1987年

16.《淅川下王岗》 河南省文物研究所编著 文物出版社 1989年

17.《中国石窟·巩县石窟寺》 河南省文物研究所编著 文物出版社（中文版） 1989年 日本株式会社平凡社（日文版） 1983年

18.《中岳汉三阙》 河南省文物研究所编著 文物出版社 1990年

19.《汝窑的新发现》 河南省文物研究所编著 紫禁城出版社 1991年

20.《淅川下寺春秋楚墓》 河南省文物研究所 河南省丹江库区考古发掘队 淅川县博物馆编著 文物出版社 1991年

21.《登封王城岗与阳城》 河南省文物研究所 中国历史博物馆考古部编著 文物出版社 1992年

22.《郑州商城考古新发现与研究》 河南省文物研究所编著 中州古籍出版社 1993年

23.《密县打虎亭汉墓》 河南省文物研究所编著 文物出版社 1993年

24.《河南考古四十年》 河南省文物考古研究所编著 河南人民出版社 1994年

25.《新中国出土墓志·河南》 中国文物研究所 河南省文物研究所编著 文物出版社 1994年

26.《汝州洪山庙》 河南省文物考古研究所编著 中州古籍出版社 1995年

27.《河南商周青铜器纹饰与艺术》 河南省文物考古研究所编著 河南美术出版社 1995年

28.《永城西汉梁国王陵与寝园》 河南省文物考古研究所编著 中州古籍出版社 1996年

29.《河南史前彩陶》 河南省文物考古研究所编著 河南美术出版社 1996年

30.《河南文物考古论集》（一） 河南省文物考古学会编 河南人民出版社

1996年

31.《河南新石器时代田野考古文献举要》 河南省文物考古研究所编著 中国古籍出版社 1997年

32.《北宋皇陵》 河南省文物考古研究所编著 中州古籍出版社 1997年

33.《河南出土陶瓷》 河南省文物考古研究所编著 香港大学美术出版社 1997年

34.《河南恐龙蛋化石群研究》 河南省文物管理局编著 河南科学技术出版社 1998年

35.《郑州商城窖藏青铜器》 河南省文物考古研究所 郑州市文物考古研究所编著 科学出版社 1998年

36.《三门峡虢国墓地》（一） 河南省文物考古研究所 三门峡文物工作队编著 文物出版社 1999年

37.《舞阳贾湖》 河南省文物考古研究所编著 科学出版社 1999年

38.《黄河小浪底水库文物考古报告》（一） 河南省文物管理局 河南省文物考古研究所编著 中州古籍出版社 1999年

39.《鹿邑太清宫长子口墓》 河南省文物考古研究所 周口市文化局编著 中州古籍出版社 2000年

40.《河南文物考古论集》（二） 河南省文物考古学会编 中州古籍出版社 2000年

41.《郑州商城》 河南省文物考古研究所编著 文物出版社 2001年

42.《芒砀山西汉梁王墓地》 商丘市文物管理委员会 河南省文物考古研究所 永城市文物保管所编著 文物出版社 2001年

43.《启封中原文明——20世纪河南考古大发现》 河南省文物考古研究所编著 河南人民出版社 2002年

44.《巩义黄冶唐三彩》 河南省文物考古研究所 日本奈良文化财研究所等编著 大象出版社 2002年

45.《中原文物考古研究》 河南文物考古学会编著 大象出版社 2003年

46.《辉县孟庄》 河南省文物考古研究所编著 中州古籍出版社 2003年

47.《新蔡葛陵楚墓》 河南省文物考古研究所编著 大象出版社 2003年

48.《华夏文明的形成与发展》 河南省文物考古研究所编著 大象出版社 2003年

49.《禹州瓦店》 河南省文物考古研究所编著 世界图书出版公司 2004年

50.《淅川和尚岭与徐家岭楚墓》 河南省文物考古研究所编著 大象出版社 2004年

51.《固始侯古堆大墓》 河南省文物考古研究所编著 大象出版社 2004年

52.《黄冶窑考古新发现》 河南省文物考古研究所编著 大象出版社 2005年

53.《安金槐先生纪念文集》 河南省文物考古研究所编著 大象出版社 2005年

54.《河南文物考古论集》 河南省文物考古学会编著 大象出版社 2006年

55.《新郑郑国祭祀遗址》 河南省文物考古研究所编著 大象出版社 2006年

56.《三门峡庙底沟唐宋墓葬》 河南省文物考古研究所编著 大象出版社 2006年

57.《2005年禹州钧窑学术研讨会论文集》 河南省文物考古研究所等编著 大象出版社 2007年

58.《发现与解读——河南考古新发现》 河南省文物考古研究所等编著 岭南美术出版社 2007年

59.《登封王城岗考古发现与研究》 河南省文物考古研究所编著 大象出版社 2007年

60.《郑韩故城兴弘花园与热电厂墓地》 河南省文物考古研究所编著 文物出版社 2007年

61.《禹州钧台窑》 河南省文物考古研究所编著 大象出版社 2008年

62.《颍河文明——颍河上游考古调查、试掘与研究》 河南省文物考古研究所编著 大象出版社 2008年

63.《新安荒坡——黄河小浪底水库考古报告》 河南省文物考古研究所编著 大象出版社 2008年

64.《宝丰清凉寺汝窑》 河南省文物考古研究所编著 大象出版社 2008年

65.《汝窑与张公巷窑出土瓷器》 河南省文物考古研究所编著 科学出版社

2009年

66.《三门峡南交口》 河南省文物考古研究所编著 科学出版社 2009年

67.《巩义白河窑考古新发现》 河南省文物考古研究所编著 大象出版社 2009年

68.《动物考古》 河南省文物考古研究所编著 文物出版社 2010年

69.《曹操墓真相》 河南省文物考古研究所编著 文物出版社 2010年

70.《灵宝西坡墓地》 河南省文物考古研究所等编著 文物出版社 2010年

71.《永城黄土山与酇城汉墓》 河南省文物考古研究所编著 大象出版社 2010年

72.《曹操高陵考古发现与研究》 河南省文物考古研究所编著 文物出版社 2010年

(二)B类

1.《灿烂的郑州商代文化》 许顺湛著 河南人民出版社 1957年

2.《商代社会经济基础初探》 许顺湛著 河南人民出版社 1958年

3.《中国陶瓷史》 安金槐为主编之一 文物出版社 1982年

4.《中国名胜辞典·河南卷》 赵青云等著 上海辞书出版社 1983年

5.《郑州商城初探》 杨育彬著 河南人民出版社 1985年

6.《河南考古》 杨育彬著 中州古籍出版社 1985年

7.《隋唐五代墓志汇编·河南卷》 郝本性等著 天津美术出版社 1991年

8.《中国文物地图集·河南分册》 杨育彬等著 中国地图出版社 1991年

9.《中国考古》 安金槐著 上海古籍出版社 1992年

10.《中国玉器全集》(三) 贾峨著 河北美术出版社 1993年 台北锦年出版有限公司 1994年

11.《中原古代冶金技术研究》 李京华著 中州古籍出版社 1994年

12.《河南陶瓷史》 赵青云著 紫禁城出版社 1993年

13.《中国陶瓷》(陶器部分) 安金槐著 文物出版社 1994年

14.《南阳汉代冶铁》 李京华等著 中州古籍出版社 1995年

15.《华夏玉器》第五辑 第六辑(英文版) 贾峨著 美国芝加哥艺术出版社 1995年

16. 《河南黄土高原东南地区环境演变与远古人类文化研究》 李占扬等著 《地域研究与开发》杂志社 1997年

17. 《中国青铜器全集·夏商(1)卷》 杨育彬著 文物出版社 1996年

18. 《中国青铜器全集·东周(1)》 郝本性著 文物出版社 1996年

19. 《中国音乐文物大系·河南卷》 赵世纲著 大象出版社 1996年

20. 《20世纪河南考古发现与研究》 杨育彬 袁广阔著 中州古籍出版社 1997年

21. 《安金槐考古文集》 安金槐著 中州古籍出版社 1999年

22. 《打虎亭汉墓》 安金槐著 香港国际出版社 1999年

23. 《白垩纪之光——西峡恐龙蛋考察漫记》 李占扬著 中华书局 2000年

24. 《考古钻探知识与技术》 蔡全法著 中州古籍出版社 2000年

25. 《钧窑瓷鉴定与鉴赏》 赵青云著 江西美术出版社 2000年

26. 《中国陶器全集·新石器时代陶器卷》 安金槐著 上海美术出版社 2001年

27. 《中国陶器全集·夏商周陶瓷卷》 安金槐著 上海美术出版社 2001年

28. 《中华文明传真·原始社会卷》 秦文生等著 商务印书馆(香港)、上海辞书出版社 2001年

29. 《中国古代炊食具》 陈彦堂著 上海文艺出版社 2001年

30. 《钧窑》 赵青云等著 上海文汇出版社 2001年

31. 《汝窑》 赵文军等著 上海文汇出版社 2001年

32. 《河南考古探索》 杨育彬等著 中州古籍出版社 2002年

33. 《人间的烟火：中国古代炊食具》 陈彦堂著 上海文艺出版社 2002年

34. 《三门峡虢国女贵族墓出土玉器精粹》 姜涛 王龙正等编著 众志美术出版社 2002年

35. 《河南古代瓷窑》 孙新民 赵文军 郭木森编著 台北国立历史博物馆 2002年

36. 《新中国出土墓志·河南卷二》 李秀萍 郭培育 马晓建编著 文物出版社 2002年

37. 《中国古代冶金技术研究》 李京华著 中州古籍出版社 2003年

38.《佛塔的秘宝：佛宝》 辛革著 上海文艺出版社 2003年

39.《河南钧台窑》 赵青云著 岭南美术出版社 2003年

40.《宋代汝窑》 赵青云著 河南美术出版社 2003年

41.《钧窑鉴定与鉴赏》 赵青云著（日文版） 2003年

42.《炊具食器》 陈彦堂著 猫头鹰出版公司 2004年

43.《皇家风范的龙门石窟》 辛革著 大象出版社 2004年

44.《翰墨石影》 赵世刚等编著 扬州广陵出版社 2004年

45.《平顶山应国墓地M321发掘纪实》 王蔚波著 中国摄影出版社 2004年

46.《魏晋南北朝隋陵》 潘伟斌著 中国青年出版社 2004年

47.《洛阳出土石刻时地记》 郭培育 郭培智编著 大象出版社 2005年

48.《汝窑瓷器鉴定与鉴赏》 孙新民 郭木森编著 江西美术出版社 2005年

49.《明藩王朱橚科学成就研究》 郝本性著 中央文史出版社 2006年

50.《文物藏品定级标准图例·铜器卷》 郝本性著 王蔚波摄影 文物出版社 2006年

51.《20世纪中国文物考古发现与研究丛书——冶金考古》 李京华著 文物出版社 2006年

52. 马萧林 Emergent Social Complexity in the yangshao Cultuye:Analyese of settlement patterns and faunal remains from lingbao, wenstrn Henan, china. BAR international Serise 1453, 2005. Hadrian Books Ltd, England.

53.《熙墀藏玉》 姜涛等著 文物出版社 2006年

54.《佛塔考古宝藏》 辛革著 台湾猫头鹰出版社 2006年

55.《郑州荥阳大海寺石刻造像》 王蔚波著 河南美术出版社 2006年

56.《冶金考古》 李京华著 文物出版社 2007年

57.《汝瓷珍赏》 赵青云 赵文军编著 文物出版社 2007年

58.《钧窑瓷》 赵青云著 江西美术出版社 2007年

59.《考古遗址出土动物骨骼测量指南》 马萧林 侯彦峰译著 科学出版社 2007年

60.《中国新石器时代——迈向早期国家之路》 马萧林译著 文物出版社 2007年

61.《河南文化遗产——全国重点文物保护单位》 杨育彬参编 文物出版社 2007年

62.《偃师文物精华》 王蔚波摄影 北京图书馆出版社 2007年

63.《中国出土瓷器·河南分册》 孙新民主编 郭木森 赵文军等参编 科学出版社 2008年

64.《河南文物》 杨育彬主持编写 文心出版社 2008年

65.《裴李岗文化发现与研究》 赵世刚著 香港天马出版有限公司 2008年

66.《中原文化大典·文物典·聚落》 曹桂岑主编 杨肇清参编 中州古籍出版社 2008年

67.《中原文化大典·文物典·瓷器》 孙新民主编 郭木森 赵文军参编 中州古籍出版社 2008年

68.《中原文化大典·文物典·陵寝墓葬》 张志清主编 李秀萍 赵新平 潘伟斌 楚小龙参编 中州古籍出版社 2008年

69.《中原文化大典·文物典·陶器》 樊温泉主编 中州古籍出版社 2008年

70.《中原文化大典·文物典·玉器》 姜涛主编 王龙正参编 中州古籍出版社 2008年

71.《中原文化大典·文物典·古人类旧石器》 李占扬主编 中州古籍出版社 2008年

72.《中原文化大典·科学技术典·矿冶》 刘海旺主编 中州古籍出版社 2008年

73.《中原文化大典·文物典·文字》 贾连敏副主编 中州古籍出版社 2008年

74.《中原文化大典·文物典·青铜器》 胡永庆 杨树刚副主编 王龙正参编 中州古籍出版社 2008年

75.《中原文化大典·文物典·杂项》 辛革副主编 樊温泉 衡云花参编 中州古籍出版社 2008年

76.《中原文化大典·文物典·交通》 衡云花参编 中州古籍出版社 2008年

77.《中原文化大典·文物典·陶塑》 衡云花参编 中州古籍出版社 2008年

78.《河南考古研究》 杨育彬著 文心出版社 2009年

79.《中国音乐文物大系·续河南、江西Ⅱ》 蔡全法等著 大象出版社 2009年

80.《安丰乡志》 潘伟斌参编　中州古籍出版社　2010年

81.《古应国访问记》 王龙正著　中国国际广播出版社　2010年

82.《流沙疑冢》 马俊才著　中国国际广播出版社　2010年

83.《打开北朝之门》 潘伟斌著　中国国际广播出版社　2010年

84.《华夏文明的摇篮——中国·河南》 杨育彬参编　文心出版社　2010年

85.《中国出土壁画·河南分册》 孙新民　蔡全发主编　科学出版社　2010年

86.《中国古瓷窑大系——中国当阳峪窑》 名誉主编孙新民　赵志文参编　中国华侨出版社　2011年

87.《中国古瓷窑大系——中国巩义窑》 主编孙新民　副主编赵志文　中国华侨出版社　2011年

出版专著

岁月记忆

岁 月 记 忆
获奖科研成果

序号	获奖人员	论著名称	获奖项目和等级
1	李京华	秦汉铁范铸造工艺探讨	1984年省自然科学优秀成果一等奖
2	贾峨 裴明相 杨育彬	河南出土商周青铜器（一）	1984年省社会科学优秀成果三等奖
3	曹桂岑	河南淮阳平粮台龙山文化古城址试掘简报	1984年省社会科学优秀成果二等奖
4	秦文生	殷墟非殷都考	1986年省社会科学优秀成果青年奖
5	杨育彬	河南考古	1987年省社会科学优秀成果二等奖
6	蔡全法等	少林寺千佛殿壁画揭取复原保护技术	1988年省文化科技三等奖 1988年文化部科技进步四等奖
7	李京华	河南古代铁农具	1989年省自然科学优秀成果二等奖
8	曹桂岑 杨肇清等	淅川下王岗	1989年省社会科学优秀成果一等奖 1995年夏鼐考古学研究优秀成果鼓励奖
9	赵青云	河南影青瓷的起源与发展	1989年省社会科学优秀成果二等奖
10	赵青云	鲁山段店窑的新发现	1989年省自然科学优秀成果二等奖
11	李京华	河南冶金考古概述	1989年省自然科学优秀论文二等奖
12	赵青云	河南宝丰清凉寺汝窑的钻探与试掘	1990年省社会科学优秀成果三等奖

获奖科研成果

序号	获奖人员	论著名称	获奖项目和等级
13	赵青云	汝窑的新发现	1991年省自然科学优秀成果二等奖
14	安金槐等	登封王城岗与阳城	1992年省社会科学优秀成果一等奖 1995年夏鼐考古学研究优秀成果鼓励奖
15	河南省文物考古研究所	出土饱水漆木器脱水定型研究	1992年省社会科学优秀成果二等奖 1992年国家文物局科学进步二等奖
16	赵世刚等	淅川下寺春秋楚墓	1993年省社会科学优秀成果一等奖 1995年夏鼐考古学研究优秀成果二等奖 1999年全国社科基金项目优秀成果三等奖
17	杨育彬等	中国文物地图集·河南分册	1993年省社会科学优秀成果三等奖
18	安金槐等	密县打虎亭汉墓	1993年省社会科学优秀成果一等奖 1995年夏鼐考古学研究优秀成果二等奖
19	河南省文物考古研究所	调查、报道、发掘的西峡盆地恐龙蛋化石群	1993年世界十大科技新闻
20	李京华	中国秦汉冶铁技术与周边地区的关系	1993年省自然科学优秀论文二等奖
21	郝本性	关于周代使用银币的探索	1993年中国钱币学会首届金泉奖
22	赵青云	河南陶瓷史	1994年省社会科学优秀成果三等奖
23	杨肇清 曹桂岑等	河南考古四十年	1995年省社科联优秀成果一等奖 1995年省社会科学优秀成果二等奖
24	裴明相等	信阳楚墓	1995年夏鼐考古学研究优秀成果鼓励奖
25	李京华	中原古代冶金技术研究	1995年省社会科学优秀成果二等奖 2000年夏鼐考古学研究优秀成果鼓励奖
26	袁广阔	汝州洪山庙	1995年省社会科学优秀成果青年奖
27	赵新平	试论山东龙山文化的历史地位及其衰落原因	1996年省教委优秀论文三等奖
28	张志清等	永城西汉梁国王陵与寝园	1996年省社科联优秀成果一等奖 1997年省社会科学优秀成果三等奖 2000年夏鼐考古学研究优秀成果鼓励奖

岁月记忆

序号	获奖人员	论著名称	获奖项目和等级
29	孙新民	北宋皇陵	1997年省社科联优秀成果一等奖 1997年省社会科学优秀成果二等奖 2000年夏鼐考古学研究优秀成果二等奖 第二届郭沫若中国历史学奖三等奖
30	赵文军	河南唐三彩、宋三彩与辽三彩	1997年省青年优秀科技论文三等奖
31	杨育彬 袁广阔等	20世纪河南考古发现与研究	1997年省社会科学优秀成果一等奖 1997年省五个一工程奖
32	李京华等	南阳汉代冶铁	1997年省社科联优秀成果二等奖
33	李占扬等	河南黄土高原东南地区环境演变与远古人类文化研究	1998年省社会科学优秀成果青年奖
34	安金槐	郑州商城	1998～2001年省社科优秀成果荣誉奖 2005年夏鼐考古学研究优秀成果二等奖
35	李占扬等	河南恐龙蛋化石群研究	1999年省社科联优秀成果三等奖
36	李京华	郑州商代大方鼎拼接技术试探	1999年省自然科学优秀论文二等奖
37	蔡全法	新郑郑韩故城出土的战国铁范、有关遗迹及反映的铸钱工艺	1999年中国钱币学会第二届金泉奖
38	赵清等	黄河小浪底水库考古报告（一）	2000年省社科联优秀成果三等奖
39	张居中等	舞阳贾湖	2000年省社会科学优秀成果一等奖 20世纪全国优秀考古报告 1998～2001年省社科优秀成果二等奖 2005年夏鼐考古学研究优秀成果三等奖
40	姜涛等	三门峡虢国墓地（一）	2000年省社科联优秀成果一等奖 1998～2001年省社科优秀成果一等奖

获奖科研成果

序号	获奖人员	论著名称	获奖项目和等级
41	张志清等	鹿邑太清宫长子口墓	2001年省社科联优秀成果一等奖 1998~2001年省社科优秀成果三等奖 2005年夏鼐考古学研究优秀成果提名奖
42	李占扬	白垩纪之光——西峡恐龙蛋考察漫记	2001年全国第四届优秀科普作品三等奖
43	杨育彬等	河南考古探索	2002年省社会科学优秀成果一等奖
44	秦文生等	启封中原文明	2002年省社会科学优秀成果二等奖 2002年河南省"五个一工程"奖
45	宋国定等	新蔡葛陵楚墓	2003年省社会科学优秀成果一等奖 2005年夏鼐考古学研究优秀成果提名奖
46	袁广阔等	辉县孟庄	2003年省社会科学优秀成果二等奖
47	方燕明	禹州瓦店	2004年省社会科学优秀成果一等奖
48	郭培育等	洛阳出土石刻时地记	2005年省社科联优秀成果二等奖
49	蔡全法	新郑郑国祭祀遗址	2006年省社科联优秀成果二等奖
50	马萧林等	中国新石器时代——迈向早期国家之路	2007年全国文博考古最佳翻译作品奖
52	方燕明	登封王城岗考古发现与研究	2007年省社会科学优秀成果一等奖 2007年河南省优秀图书一等奖
53	马萧林 侯彦峰等	考古遗址出土动物骨骼测量指南	2007年省社会科学优秀成果三等奖
54	魏兴涛	三门峡南交口	2009年省社会科学优秀成果二等奖

岁月记忆

岁月记忆
大事记

1952年

● 6月　河南省文化局文物工作队成立。

队长：赵全嘏　（河南省文化局文物科科长兼任）

副队长：许顺湛

主要工作人员：安金槐、裴明相、蒋若是、张建中、丁伯泉、董祥、韩维周等十余人。

内设：田野工作组、革命文物组、图书组、行政办公室

队址：开封市刷绒街

工作队成立后，对革命纪念建筑和古代建筑进行了调查、保护和资料收集并配合白沙水库与板桥水库建设进行了考古发掘与资料整理工作；开展了社会资料收集工作，收购了1000余本珍善本，成为河南省文化局文物工作队的宝贵财产之一。

● 8月　安金槐、裴明相、蒋若是、杨宝顺、黄明兰等赴北京大学参加第一届中央考古工作人员训练班学习。

● 10月　配合中央第一届考古工作人员训练班在郑州二里岗和洛阳东郊进行田野考古实习。在郑州二里岗遗址的发掘中，发现了商代前期文化。

● 11月　蒋若是、董祥、赵纯泰、黄士斌等人参加由文化部文物局、中国科学院考古研究所、河南省文化局、洛阳专区文管会和洛阳市文教局组成的考古队，队长裴文中。发掘洛阳烧沟汉墓213座。全部发掘工作到1953年7月结束。发掘成果由蒋若是等人编写《洛阳烧沟汉墓》一书，1959年由科学出版社出版。

1953年

● 1月 安金槐主持郑州商代遗址的保护与配合基本建设的考古发掘工作,并在二里岗发掘了一批战国墓葬。

● 1~2月 在开封举办"河南省第一届文物工作人员训练班"。各地、市文物干部20余人参加了学习。安金槐、裴明相、蒋若是、许顺湛、丁伯泉、张建中等为训练班讲课并辅导实习。

● 3月 成立"郑州市文物工作组"和"洛阳市文物工作组"。

郑州市文物工作组组长:安金槐。主要工作人员:王润杰、潘庆山、赵鞠卿、王怀堂、谭金昇(兼秘书)等;

洛阳市文物工作组组长:蒋若是。主要工作人员:黄士斌、梁仁智等人。

● 3月 在郑州市二里岗黄委会仓库考古发掘工地的灰坑中发现商代文字甲骨一片,经文物专家陈梦家先生鉴定为"习刻甲骨文字",这是在安阳殷墟之外第一次发现的甲骨文字。

● 4月 韩维周、丁伯泉等人在登封玉村遗址发现一件白陶爵,为豫中二里头文化的最早发现。

● 7月 在郏县太仆村发现春秋时期青铜器。杨宝顺前往调查,并收缴190多件珍贵文物。

● 8月 许顺湛、丁伯泉、张建中、董祥、李京华、裴琪等同志到北京大学参加第二届中央考古工作人员训练班学习。

● 秋 赵青云、张建中、赵世纲、杨宗琪、张静安、马全等在郑州铁路局二里岗东站工地钻探发掘了500余座战国时期的土坑墓与空心砖墓。

● 秋 中央文化部文物局王冶秋副局长和裴文中处长来郑州视察文物考古发掘工作,提出"发掘经费应由基建单位承担一部分"的设想,这为制定有关政策,解决文物钻探发掘经费提供了依据。

● 秋 开始兴建郑州市文物工作组的办公房和仓库。

● 冬 东红等人在郑州铁路局东站西侧仓库工地发现了一段商代夯土外城墙与基础槽。

1954年

● 3月　张建中、东红等人在郑州市区人民公园挖河工程中发现殷商墓葬6座，出土1件青釉瓷尊，为郑州商代遗址中发现最早的商代原始瓷器。

● 3月　挑选精品参加五月一日在北京举办的"全国基建出土文物展览"。

● 春　赵世纲、赵青云、毛宝亮、刘笑春等分别发现了"南关外商代铸铜遗址"和"紫荆山北商代铸铜遗址"。

● 春　文化部文物局王冶秋副局长和裴文中处长来郑州视察文物考古工作时，提出了"对郑州商代遗址可采取重点保护一部分和重点发掘一部分"的方案，并建议抽调发掘任务较少的省、市文物考古工作人员来郑州参加考古发掘工作。

● 3~5月　由省直单位抽调干部20余名参加河南省第二期文物工作人员训练班。20余名学员被分配到郑州和洛阳两个文物工作组。

● 夏　省文化局文物工作队与省文化局文物科合署办公。许顺湛、赵纯泰、张超人等调省文化局机关工作。

● 7月　周到、赵纯泰等赴北京大学参加第三届中央考古工作人员训练班学习。

● 8月　河南省文化局文物工作队第一队成立。党支部书记蒯世权，支部委员谭金昇、葛治功。队长：许寄秋兼任（郑州市文化局副局长），副队长：安金槐、尹焕章（兼南京博物院考古部主任），顾问：韩维周，秘书：谭金昇、蒯世权（兼南京博物院秘书），共青团支部书记王润杰。地址：郑州市第二工人新村。

● 8月　尹子喻、廖永民等在郑州市紫荆山北发现一处商代制骨工场。

● 秋　由安金槐主持，张建中、王兆文、杨宗琪等人参加，在郑州市人民公园彭公祠大殿内筹办了"郑州市出土文物陈列室"。

● 冬　兴建文物仓库和办公、住宿用房。

大事记

1955年

- 1月　洛阳市文物工作组改为"河南省文化局文物工作队第二队"。队长：路传道,副秘书：丁伯泉,田野发掘组组长：蒋若是,副组长：杨宝顺、李京华。

- 春　张建中在郑州白家庄发掘2座商代铜器墓葬,并发现墓葬打破一段夯土。该夯土被证实为商代城墙的一部分。

- 5月　周兆林、刘笑春、游清汉等在郑州市铭功路基建工程中发现商代制陶窑场一处。

- 7月　选送殷代黑陶3件、战国彩陶3件、战国黑陶3件、汉代彩陶壶1件,出国参加工艺美术展览。

- 7月　路传道、赵青云、游清汉到北京大学参加第四届中央考古工作人员训练班学习。

- 11月　张建中等人在郑州白家庄发掘商代祭祀遗址,发现排列整齐的殉狗坑8座,共殉狗130多只。

- 12月　赵霞光、廖永民等在安阳小屯南地发掘商代遗址。

- 12月　第一队领导班子调整。党支部书记、队长：许顺湛,支部委员：谭金昇、王润杰。

1956年

● 春　一队在文物普查中发现了登封八方村龙山文化遗址，即王城岗遗址。

● 春　赵青云、王典章、王明瑞等发掘郑州牛砦龙山文化遗址，首次发现龙山文化青铜刀片。

● 5月　赵青云、陈嘉祥等人发掘郑州西郊洛达庙遗址。

● 5月　许顺湛参加全国先进生产者（先进工作者）代表大会。

● 7月　赵青云等发掘郑州旭旮王遗址。

● 7月　李宗道、赵国璧在洛阳涧西16工区发掘1座曹魏正始八年（公元247年）墓。

● 10月　一队参与修葺开封铁塔。

● 本年　赵青云、王典章、王明瑞等发掘郑州董砦遗址。

● 本年　赵世纲、王儒林等调查发现了淅川下王岗、黄楝树、红石坡等10多处新石器时代遗址。

1957年

- 1月　周到任省建设工程考古调查组组长。
- 3月　裴明相、张建中、贾峨等在信阳长台关发掘1座战国楚墓,出土了编钟、竹简等珍贵文物。
- 3月　周到赴息县调查闾河治理工程,发现了古城、青龙寺、太子庙、三里庄4处古文化遗址。
- 4月　安金槐主持对登封告成一带的考古调查,发现龙山文化遗存、二里头文化遗存、商代二里岗期文化和春秋时代的文化遗存。在八方村东南部的颍河北岸一带,还发现了一处面积较大的仰韶文化遗址。
- 6~8月　在河南省戏校举办第三期河南省文物干部培训班。培训县(市)文化馆干部130人。
- 7月　李德保赴辉县进行文物调查,发现了丰城古文化遗址。
- 10月　李京华、米士诚等在洛阳市西郊发掘1座西汉晚期壁画墓,墓前室顶脊绘有日、月、星像图。
- 11月　张建中、周到深入大别山区调查革命旧址,征集革命文物。
- 12月　陈大章等人在邓县发掘1座南朝彩色画像砖墓。
- 本年　与中国科学院考古研究所联合勘查隋唐洛阳城的皇城及其附属小城的平面布局。

岁月记忆

1958年

- 1月 在方城盐店发现北宋宣和元年(公元1120年)强氏石俑墓。
- 2月 郭建邦在孟津调查,证实孟津官庄村东的大冢是北魏孝文帝长陵,小冢是文昭皇后陵。
- 2月 王润杰等发掘郑州后庄王仰韶文化遗址。
- 3月 贾峨等调查临汝县北宋瓷窑址9处,并发掘严和店窑址。
- 3月 一队和二队合并为河南省文化局文物工作队。队长:许顺湛(党支部书记兼),副队长:安金槐、路传道,秘书:丁伯泉、王润杰。内设调查保护组,组长:周到,副组长:杨宝顺;编辑组,组长:安金槐,副组长:张建中;保管组,组长:李德保;第一发掘组,组长:裴明相;第二发掘组,组长:李京华。
- 春 周到在濮阳发掘北齐武平七年(公元576年)豫州刺史李云夫妇合葬墓,出土一批珍贵的北朝瓷器。
- 4月 赵青云、王明瑞发掘翟庄遗址。出土石磨棒、舌形石铲、陶三足钵、小口双耳壶等,首次发现裴李岗文化遗物。
- 4月 赵世纲等在安阳纱厂工地发掘一批商代晚期墓葬,出土了一批青铜器、陶器、玉器等。
- 4月 董祥在偃师酒流沟发掘宋墓,墓内出有杂剧雕砖。
- 4月 周到在新乡县进行文物保护工作时,发现鲁堡龙山文化晚期遗址。
- 5月 河南省文物工作队组建文物复制工厂。厂长:王润杰。
- 5月 裴明相、张建中、贾峨等在信阳发掘二号楚墓。
- 7月 陈毅副总理到省文物队视察。
- 7月 汤文兴赴南阳举办文物训练班,11个县的文物干部参加学习。
- 7月 中央文化部在郑州召开11省、市、自治区文物、博物馆现场会,许顺湛、周到分别在会议上介绍了《配合基本建设进行考古发掘的经验》和《充分依靠群众作好文物保护工作的经验》。
- 7月 由赵全嘏负责在郑州市碧沙岗公园内的郑州市文物陈列馆筹备处举办了"河南省中学历史教师文物训练班",参加学习的历史教师50余人。
- 8月 王润杰等发掘郑州后庄王仰韶文化遗址。
- 10月 组建郑州发掘组。组长:周到。
- 10月 刘东亚、吕品发掘邓州太子岗古文化遗址,汤文兴发掘唐河茅草寺遗址。

大事记

- 10月　游清汉、裴明相、贾峨等在南召鸭河口水库库区内发掘古遗址和古墓葬。赵青云等在南召县下店发掘古文化遗址。
- 11月　"刘胡兰发掘小队"和"黄继光发掘小队"成立。"刘胡兰发掘小队"队长：王绍英，副队长：陈焕玉，辅导老师：赵青云、王治国。"黄继光发掘小队"队长：游清汉，副队长：汤文兴。
- 12月　赵青云、赵国璧等发掘河南巩县铁生沟冶铁遗址。
- 《邓县彩色画像砖墓》一书由文物出版社出版。

岁月记忆

1959年

- 1月　第一部田野考古报告《郑州二里岗》由科学出版社出版。
- 2月　游清汉、汤文兴带领"黄继光发掘小队"配合丹江水库工程，发掘下集遗址。
- 2月　选调郑州出土的商代至汉代文物24件赴民主德国展出。
- 2月　裴明相、李京华、黄土斌等发掘南阳瓦房庄汉代冶铁遗址。
- 《河南信阳楚墓文物图录》由河南人民出版社出版。
- 4月　王绍英、陈焕玉、罗桃香等多人发掘偃师灰嘴遗址，发现了二里头文化、龙山文化、仰韶文化三个上下叠压的文化层。
- 5月　"刘胡兰发掘小队"分成四个调查小组到全省26个县、市调查有关夏文化的遗迹和遗址100余处。赵青云、王明瑞带领"刘胡兰发掘小队"调查并试掘了偃师二里头遗址，巩县小訾殿、稍柴遗址，济源庙街遗址。
- 6~7月　郭沫若视察了郑州商代城址的发掘现场和文物工作队标本陈列室，当场题诗一首：

  郑州又是一殷墟，疑本仲丁之所都，
  地下古城深且厚，墓中遗物富而殊。
  佳肴仍有黄河鲤，贞骨今看商代书。
  最爱市西新建地，工场林立接天衢。

- 9月　杨宝顺等在鹤壁中新煤矿调查发现了宋元煤矿遗址。
- 10月　国庆十周年，许顺湛随团赴京参加天安门观礼。
- 10月　郭建邦、王新云清理淅川汉代范晔墓。
- 冬　赵青云、赵国璧、王明瑞等到临汝大张水库进行考古发掘。

1960年

- 2月　安金槐、王与刚、刘建洲、贾峨等发掘密县打虎亭2座汉代墓冢。
- 6月　陈焕玉等发掘渑池鹿寺二里头文化遗址。
- 8月　刘东亚等前往新郑县实地勘察"郑韩故城",确认了城址范围。
- 10月　张建中、胡继高考察上海博物馆、上海文管会等单位的试验室和文物修复室,并采购了一批试验仪器。
- 11月　调整内设机构干部。编辑组组长:丁伯泉(副队长兼),副组长:张建中;南阳组组长:游清汉,副组长:李京华;机动组副组长:赵国璧;保管组副组长:李德保;调查组组长:王润杰(秘书兼),副组长:杨宝顺;洛阳组组长:裴明相。
- 本年　赵青云、王明瑞在安阳殷墟武官村发掘27座祭祀坑,发现被杀殉奴隶207人。
- 本年　河南省文物工作队被评为"河南省先进单位"和"全国先进单位"。许顺湛代表省文物队参加了全国教科文卫体群英会。

岁月记忆

1961年

- 2月　张淑麟、李敬昌等发掘巩县孝义宋魏王墓。该墓是宋英宗(赵曙)的四子赵君页(仲格)及其夫人王氏之墓。
- 3月　王与刚、周到等在永城固上村发掘2座汉代画像石墓。
- 5月　王润杰在正阳县东关外发现一处东汉时期的石阙(仅存东阙)。
- 秋　张建中任保管组组长。保管组工作范围包括文物库房、资料室、图书室、试验室、照相室以及文物复制工厂等。
- 11月　安金槐、贾峨到密县和登封,对两县的古瓷窑址进行了调查,采集了一批瓷片和窑具。
- 本年　组成7个调查组,对118个县市600多处文物保护单位的保护情况进行调查,并新发现文物古迹200多处。

1962年

- 2月　分组对全省古代碑碣、墓志、石刻进行调查登记,共计7439通。
- 3月　安金槐带队,在南阳市博物馆配合下发掘南阳县杨官寺汉代画像石墓。
- 秋冬　配合南水北调(中线)工程,在邓县等地进行文物调查。
- 《巩县铁生沟》一书,由文物出版社出版。

1963年

- 3月　裴明相、武志远等赴渑池县对仰韶遗址的保护情况进行了调查。
- 春　赵青云、王明瑞、李德保等对鹤壁集瓷窑址进行了大面积发掘,发现了重要的遗迹和遗物。日本学者小山富士夫专程到现场参观,后邀请鹤壁集窑出土文物赴日本展出。
- 春　杨育彬等到偃师等地进行考古调查,发现了宫家窑仰韶文化遗址、夏后寺二里头文化遗址、南蔡庄二里头文化遗址。
- 4月　派员前往鹿邑县调查了解太清宫修葺情况。
- 4月　贾峨、赵世纲在襄城县茨沟发掘1座东汉永建七年(公元132年)画像石墓。
- 5月　孙传贤、郑杰祥、郭天锁等前往渑池,对仰韶遗址进行实测,并对保护情况进行了复查。
- 6月　杨焕成、张家泰等调查了解登封初祖庵修葺保护情况。
- 8月　赵世纲等发掘密县后士郭汉画像石墓。
- 8月　李京华、杨育彬赴山西侯马参加文化部文物局组织的全国多个省的考古发掘大会战,发掘晋都新田铸铜遗址。
- 秋　郭天锁调查豫西三门峡地区旧石器时代遗存。
- 11月　将在郑州地区出土和采集的各类文物3690件移交给郑州市文物陈列馆。

1964年

● 春　在洛阳汉魏故城南郊发掘东汉刑徒墓522座。

● 6月　安金槐、李德保、杨育彬等调查勘探和试掘新郑郑韩故城,发现大批墓葬和制铜、制骨遗址。

● 7月　郭建邦前往新安县就"千唐志斋"的保护问题进行调查。

● 8月　郭建邦、王治国发掘孟津县送庄汉墓,出土有黄肠石和铜镂玉衣片。

● 9月　调拨给吉林省博物馆文物129件。

● 10月　领导班子调整。党支部书记:李庆生,队长:丁伯泉,副队长:安金槐、吉思敬,秘书:赵青云。

● 10月　建立河南省文物钻探队,编制15名。

1965年

- 4月　调拨给南京博物院文物25件。
- 4月　裴明相、孙传贤、王明瑞等发掘淅川黄楝树新石器时代遗址。
- 5月　调拨给新疆维吾尔自治区博物馆文物11件。
- 7月　在新郑县阁老坟村北地，即郑韩故城北城墙以南的夯土建筑密集区发现一处战国时期地下夯土建筑遗存。
- 8月　安金槐等试掘郑韩故城铸铁作坊遗址、制骨作坊遗址及城墙。
- 11月　杨育彬在上蔡西南城郊发掘1座平面为八角形的砖构宋墓，墓壁有面积较大的人物雕砖，包括洗帛、镜台等，有较高艺术价值。
- 11月　杨肇清在浚县屯子、郭家村采集1批乳齿象化石残块；在小河公社发现1座元代壁画墓，由刘建洲清理发掘。
- 本年　李京华、陈立信在郑州古荥镇发现一处规模较大的汉代"河一"冶铁遗址。
- 本年　刘笑春等发掘安阳大司空村东南地仰韶、龙山文化遗址、殷代遗址和墓葬。
- 本年　李京华等两次调查灵宝秦岭古金矿遗址。在古矿洞口，发现有"景泰二年（公元1451年），开洞三百余眼"及清代康熙、雍正、光绪年间的题记。
- 本年　郭建邦、杨育彬、杨肇清、张长森在三门峡进行考古发掘，发掘历代墓葬200余座。

1966年

- 4月　赵世纲、杨育彬、马献学等到渑池县仰韶村遗址进行考古钻探，划出重点文物保护区和一般文物保护区。
- 4月　裴明相、杨肇清、王明瑞等继续发掘黄楝树遗址。
- 8月　郭建邦捐献历代碑刻、墓志、石经拓片共计128000张。

岁月记忆

1967年
- 春　杨肇清调查丹江口水库沿岸的古遗址和古墓葬。
- 7月　李京华、杨肇清在商丘老君乡邮电局发现1座大型汉墓。

1968年
- 2月　杨肇清在新乡大召营乡调查时发现1座大型东汉墓。
- 8月　杨宝顺在温县小南张村收缴青铜器23件。部分铜器上铸有"徙"字铭文。

岁月记忆

1969年

- 11月　李京华在济源轵城泗涧沟发掘周、汉、唐、宋墓葬52座。

1970年

● 1月 "河南省文物工作队"与"河南省博物馆"合并,更名为"河南省博物馆文物工作队"。负责人:李庆生、赵青云。

岁月记忆

1971年

- 1月　安金槐等与洛阳市博物馆对洛阳隋唐东都含嘉仓进行全面钻探、发掘,发现粮窖259个。
- 2月　杨宝顺等发掘安阳洪河屯北齐骠骑大将军范粹墓,出土一批陶俑和瓷器,尤以黄釉瓷扁壶等最为珍贵。
- 6月　郭建邦送"文革"时期河南出土的精品文物100余件赴京参加在故宫博物院举办的十一省市"文化大革命时期出土文物展览"。
- 8月　郑杰祥在新野小西关发掘1座春秋早期曾国墓葬,出土了一批青铜器,铜器带有铭文"曾子仲诲"字样。
- 10月　曹桂岑、杨肇清等开始对淅川下王岗遗址进行大面积发掘,发掘面积2309平方米。
- 11月　郝本性、李德保等清理新郑县城东白庙范村战国青铜兵器窖藏坑,出土铜兵器180余件,其中有铭文者达170余件。

1972年

● 5月　张长森等在灵宝县张湾发掘一批东汉弘农杨氏家族墓，出土有绿釉陶仓楼和水榭以及朱书陶罐、陶六博俑等珍贵文物。

● 6月　李绍连负责清理郏县宋代苏适夫妇合葬墓，墓内有墓志、铜印、瓷碗等，证实了三苏坟是苏轼、苏辙的墓地和苏洵的衣冠冢。

● 夏秋　李京华等与南阳博物馆在唐河县城发掘汉代画像石墓，出土一批画像石。

● 秋　安金槐、杨育彬、冯天成、李友谋等对郑州商城的四面夯土城墙再次进行考古钻探和发掘。

1973年

● 年初　邀请中国科学院考古研究所安志敏、钟少林等专家来郑,对郑州商城遗址的年代与性质进行鉴定。

● 3月　调拨给吉林省博物馆文物103件。

● 4月　选调100余件汉代画像石和历代墓志参加在日本东京举办的"中华人民共和国河南画像石、碑刻拓片展"。

● 本年　赵青云等发掘禹县钧台、八卦洞瓷窑遗址。

1974年

● 2月　杨宝顺等在安阳市北郊发现隋代相州瓷窑址，清理出残窑和一批窑具、青釉瓷器等。

● 4月　李京华等在渑池县清理汉魏时期冶铁作坊和大批窖藏铁器。

● 5月　在郑州市东里路北侧发现了多处有叠压关系的商代夯土台基和埋有百余个带锯痕人头骨的商代壕沟。

● 5月　汤文兴等发掘温县招贤镇东汉时期铸铁作坊遗址，发现1座烘范窑，出土叠铸套范500套。汤文兴执笔编著《汉代叠铸》，1978年文物出版社出版。

● 7月　成立郑州商城工作站。站长：安金槐。

● 8月　郝本性等人在扶沟县固城公社古城村清理一处战国时代楚国金、银币窖藏。

● 9月　安金槐、杨育彬等在郑州商代城墙中段外侧的杜岭张寨南街，清理出土了2件商代大铜方鼎和1件铜鬲，这是郑州首次出土商代大型铜方鼎的窖藏坑。

● 9月　李京华等赴湖北省纪南城参加纪南楚城考古发掘大会战。

1975年
- 8月　王与刚、刘建洲等在内乡县大窑店发现宋代邓州瓷窑遗址。
- 秋　美国哈佛大学张光直教授带领美国考古代表团访问，并就一些学术问题进行了交流探讨。

1976年

- 3月　刘式今等发掘禹县谷水河遗址。
- 春　李京华等在登封告成一带发现了东周阳城遗址及东周铸铁遗址。
- 8月　成立登封工作站。站长：安金槐。

岁月记忆

1977年

- 4月　安金槐等与中国历史博物馆考古部工作人员一起在登封告成发现了王城岗龙山文化城址,发掘了阳城遗址。
- 4月　赵世纲主持新郑裴李岗遗址的第一次发掘工作。
- 4月　杨肇清赴驻马店举办考古培训班,并主持上蔡十里铺遗址的发掘,发现了屈家岭文化、大汶口文化、龙山文化遗存。
- 7月　郭建邦、刘建洲等试掘巩县大、小黄冶村唐三彩窑址,出土了一批窑具和三彩器。
- 11月　国家文物局在登封县召开"河南登封告成遗址发掘现场会",安金槐介绍了王城岗城址的发掘情况,代表们参观了发掘现场和标本室,并进行多次座谈讨论。
- 冬　安金槐被推荐为河南省第五届政协委员。
- 冬　郭天锁、丁清贤等发掘密县莪沟北岗遗址,次年又进行大面积发掘。

1978年

● 2月　郑杰祥在信阳市郊南山嘴发掘春秋樊国贵族墓地，出土"樊夫人"、"樊君夔"等青铜器。

● 3月　赵青云、郭建邦等发掘信阳固始县侯古堆贵族墓和陪葬坑。墓内发现殉人棺木17具，出土鼎、编钟、肩舆等一批珍贵文物。

● 4月　杨宝顺等修葺安阳修定寺唐塔。

● 7月　杨焕成参与对河南境内地震历史资料调查，收录古碑刻57通、墓志1方、摩崖题记1处及墨书题记3处。

● 秋　郭天锁、陈嘉祥、李绍连等发掘长葛石固新石器时代遗址。

● 冬　杨肇清、赵世纲等对全省裴李岗文化遗址进行调查，共发现裴李岗文化遗址近50处。

1979年

- 3月　贾峨、郝本性赴温县西张计村调查东周盟书发现情况。
- 4月　会同南阳地区文物管理委员会和淅川县文管会在淅川县下寺发掘1座春秋晚期贵族墓,出土大批青铜器、玉器等珍贵文物。
- 7月　安金槐、王润杰、曹桂岑等负责举办了"河南省第四届文物考古人员训练班",培训班学员48名。
- 9月　曹桂岑等在淮阳县平粮台进行考古发掘,发现1座龙山文化晚期城址。
- 秋　安金槐作为"中国考古学会筹备委员会"的委员,去西安参加了"中国考古学会"成立大会,并被推选为中国考古学会理事。
- 11月　"中国古陶瓷研究会"在广东省新会县成立,安金槐被推选为"中国古陶瓷研究会"副会长,赵青云为理事。
- 本年　成立淮阳工作站。站长:曹桂岑。

1980年

● 夏　李京华应邀参加在北京召开的"中国科学技术史学会"成立大会,并被选为金属史专业委员会委员。

● 12月　"河南省考古学会"在郑州成立。会长:欧阳道力,副会长:许顺湛(兼秘书长)、安金槐、蒋若是,副秘书长:李友谋、贾峨,常务理事:张文彬,理事:李京华、杨宝顺、裴明相等25人。

● 本年　郝本性等发掘温县武德镇西张计村东周盟誓遗址,获书写盟辞石片万余件。

1981年

- 2月 "河南省文物工作队"更名为"河南省文物研究所"。所址：郑州市陇海北三街九号。所长：安金槐，副所长：王润杰、赵青云；办公室主任：赵青云（兼），副主任：郭建邦；第一研究室主任：裴明相，副主任：杨育彬；第二研究室主任：李京华；编辑室主任：贾峨；技术室主任：张建中；保管室主任：武志远。

- 3月 中共河南省文物研究所支部委员会成立。支部书记：王润杰，支部委员：赵青云、王桂枝。

- 5月 赵世纲发掘温县盟书遗址，发现盟书坎85个，墓葬5座，出土盟书、玉器、陶器等2000余件。

- 5月 曹桂岑、马全等发掘河南淮阳县马鞍冢战国大墓和2座车马坑，发现31辆马车。

- 9月 《河南出土商周青铜器（一）》由文物出版社出版。

- 本年 《登封王城岗与阳城》被评为全国"六五"重点社科基金资助项目。

1982年

● 春　承办"文化部文物局郑州文物干部训练班",兴建所办公室与临时仓库大楼。

● 7月　杨育彬等在郑州商城东南角外的向阳回族食品厂发掘商代青铜器窖藏坑,出土13件青铜器。

● 夏　作为省直机关职称评定的试点单位,评定安金槐、裴明相为研究员,贾峨为副研究员。

● 8月　张建中拍摄的《商代窖藏青铜器》电影纪录片编辑完成。

● 8月　周到在舞阳县调查贾湖遗址,认定属裴李岗文化遗址。

● 9月　所内部机构设置调整。办公室副主任:郭建邦;综合研究室主任:贾峨;原始奴隶社会研究室主任:裴明相,副主任:杨育彬;封建社会研究室主任:李京华,副主任:郝本性;技术室主任:张建中;保管室主任:武志远,副主任:李德保。

● 10月　安金槐随"中国商文化代表团"到美国夏威夷参加"商文化国际讨论会"。

● 12月　以安金槐为团长的"中国文物考古工作者代表团"一行4人赴阿曼考察。考察期间对阿曼博物馆和苏哈尔城堡收藏的中国唐至清历代瓷器进行了鉴定。

1983年

- 春　陈嘉祥、郭天锁开始发掘舞阳贾湖裴李岗文化遗址。其后从1984年至1987年6月,张居中等又在这里进行了五次发掘。发现房基、灰坑、陶窑、墓葬等重要遗迹,出土文物2000余件,其中骨笛、刻画符号和栽培稻等非常珍贵。
- 春　安金槐被推荐为全国政协第六届委员会委员。
- 5月　安金槐再次当选为中国考古学会理事。
- 6月　承办"郑州文物干部训练班"第一期培训班。负责人:安金槐、王润杰。全国各地文博单位选送学员40人。
- 8月　杨育彬调任省文物局副局长。
- 12月　所领导班子调整,名誉所长:安金槐,党支部书记:王润杰,所长:郝本性,副所长:赵青云。
- 《安阳修定寺塔》由文物出版社出版。
- 12月　杨肇清调任省博物馆副馆长。

1984年

- 1月　与洛阳地区文管处共同编辑大型石刻专集《千唐志斋藏志》，由文物出版社出版。
- 2月　承办"郑州文物干部训练班"第二期训练班，全国各地文博单位选送学员55人。
- 3月　所内中层干部进行调整。办公室主任：许天申，副主任：郭建邦、王桂枝；第一研究室主任：裴明相，副主任：赵世纲、张居中；第二研究室主任：李京华，副主任：孙新民；第三研究室主任：贾峨；技术室主任：张建中；图书资料保管室主任：武志远，副主任：陈焕玉。
- 春　"文化部文物局郑州文物干部训练班"更名为"文化部文物局郑州培训中心"。
- 8月　承办"郑州文物干部培训中心第三期培训班"。全国各地文博单位选送学员55人。
- 9月　国家文物局在山东兖州举办"田野考古领队培训班"，杨育彬、郝本性被聘为考核委员。
- 9月　"国家文物局郑州培训中心"更名为"郑州考古干部专科学校"。校长：安金槐（兼），党支部书记：王润杰（兼）。招收第一届考古专业大专班学员27名。
- 10月　孙新民等发掘巩县宋太宗李皇后陵，出土有玉哀册、玉谥册和精美瓷器。
- 11月　武志远同志任副所长。

1985年

- 3月　调整中层干部。任命代伦英为保管室副主任,翟继才为郑州考古干部专科学校办公室副主任,张玉石为第三研究室副主任,马新民为技术室副主任,李德保为第二研究室协理员。

- 3月　赵世纲赴日本参加世界科技博览会,淅川下寺出土的王孙诰钟在博览会上展出。

- 8月　姜涛到山东兖州参加国家文物局第二期田野考古领队培训班,并获考古领队资格。

- 春　登封工作站"阳城遗址陈列馆"落成开放。

- 10月　杨育彬编著的《河南考古》由中州古籍出版社出版。并获河南省优秀成果二等奖。

- 12月　张建中被评为"全国文物博物馆系统先进工作者"。

- 12月　承办"中国古陶瓷研究会郑州年会暨学术讨论会"。安金槐、赵青云将与会代表的论文编辑成《河南钧瓷、汝瓷与三彩》一书,于1988年由紫禁城出版社出版。

1986年

- 2月　杨肇清调任副所长。
- 3月　对平顶山市薛庄乡应国墓地进行发掘。
- 4月　许天申任副所长。
- 5月　胡廷积副省长来我所视察工作。
- 5月　赵青云到鲁山调查段店窑。
- 6月　曹桂岑、杨肇清、张志清、张玉石等在郾城石槽赵村郝家台发掘出1处龙山文化晚期至二里头文化时期的遗址，清理房基14座、灰坑310座和龙山文化城址1座。
- 6月　陈嘉祥等在郑州火车站振兴商场发掘工地发现了郑州商城夯土外城墙。
- 9月　张志清到山东兖州参加国家文物局第三期田野考古领队培训班，并获考古领队资格。
- 9月　袁广阔发掘临汝北刘庄遗址。
- 秋　安金槐被聘为中国哲学社会科学规划办公室（七五）考古组评审委员会委员。
- 本年　《淅川下寺春秋楚墓》被评为全国"七五"社会科学基金资助项目。
- 《信阳楚墓》由文物出版社出版。并荣获第一届夏鼐考古学基金荣誉奖。

1987年

- 2月　张志清、李占扬等发掘沈丘乳香台新石器时代遗址。
- 4月　李京华、丁清贤、黄克映、杨肇清等会同濮阳市文物管理委员会等单位发掘濮阳县西水坡仰韶文化遗址,发现三组用蚌壳摆塑的龙虎图案。
- 5月　杨育彬调任副所长。
- 5月　方燕明等发掘灵宝涧口遗址。
- 6月　《华夏考古》创刊。主编:贾峨。(当年为半年刊,次年改为季刊)
- 9月　张文军、张志清等发掘鹿邑栾台新石器时代遗址。
- 9月　袁广阔发掘临汝煤山遗址。
- 秋　郑州"隞墟"遗址保护点建成。
- 10月　郑州考古干部专科学校举办"河南省文物钻探技术考核培训班"。
- 10月　赵青云、毛宝亮、赵文军等对宝丰清凉寺汝窑址进行试掘,出土完整瓷器20余件。该窑址被确定为宋代汝官窑址。

1988年

- 3月　贾峨被评为研究馆员,郝本性、李京华、杨育彬、赵青云、曹桂岑、赵世纲、杨肇清被评为副研究馆员。
- 4月　郑州考古干部专科学校举办"考古绘图训练班"。
- 4月　李京华、杨肇清、丁清贤、南海森会同濮阳市文管会、北京大学、郑州大学对濮阳西水坡遗址进行大面积发掘。
- 春　安金槐当选全国政协第七届委员会委员,并任河南省政协文教卫体委员会副主任。
- 6月　"河南省科学技术史学会"成立,安金槐被推选为理事长,李京华被推选为副理事长兼秘书长。
- 7月　郭木森等会同河南省古代建筑保护研究所发掘邓州福胜寺塔基地宫,出土宋代金棺、银椁和鎏金双龙银壶等珍贵文物。
- 7月　杨肇清赴美国参加"中国古代艺术展"。
- 8月　张居中、张玉石到山东兖州参加国家文物局举办的第四期考古领队培训班,并获考古领队资格。
- 秋　安金槐在湖南衡阳参加并主持"中国古陶瓷研究会1988年年会"。

1989年

- 1月　杨育彬、张玉石、司治平参加国家文物局在陕西省汉中市召开的《中国文物地图集》编制工作会议。
- 2月　所领导班子及中层干部调整。名誉所长：安金槐。所长：郝本性，党支部书记：杨肇清，副所长：杨育彬、许天申、张文军；办公室主任：许天申(兼)，副主任郭向亭、李占扬；第一研究室主任：曹桂岑，副主任：张居中；第二研究室副主任：张玉石、姜涛；第三研究室副主任：孙新民、张志清；《华夏考古》编辑部副主任：方燕明；保管室主任：陈焕玉，副主任：代伦英；技术室副主任：杨磊、郭民卿；保卫科科长：郭向亭；郑州文物干部专科学校校长：安金槐(兼)，书记：王润杰(兼)，办公室副主任：翟继才。
- 3月　郑州考古干部专科学校举办"全国古钱币培训班"，学员32人。
- 4月　所党支部换届。书记：杨肇清，支部委员：郝本性、杨育彬、代伦英、张文军。
- 4月　张志清、王胜利等发掘夏邑三里堌堆新石器时代遗址。
- 4月　李占扬等调查灵宝营里旧石器时代早期遗址。
- 4月　袁广阔、樊温泉发掘邓州叶胡桥遗址。
- 5月　中国考古学会第七次年会在湖南长沙召开，安金槐当选为中国考古学会常务理事，郝本性当选为理事。
- 秋　"郑州考古干部专科学校"改为"郑州文博职工中等专业学校"。
- 秋　赵世纲受"中国音乐文物大系"编委会之聘，主编《中国音乐文物大系·河南卷》。
- 8月　孙新民到山东兖州参加国家文物局举办的第五期考古领队培训班，并获考古领队资格。
- 12月　安金槐受聘为郑州大学历史系文博专业客座教授。
- 《淅川下王岗》由文物出版社出版。
- 12月　袁广阔在汝州洪山庙遗址发现仰韶文化瓮棺合葬墓。
- 12月　郑州工作站发现郑州小双桥遗址，并在遗址中心区域进行调查。
- 本年　王龙正等在平顶山市应国墓地发掘墓葬30座。
- 本年　《郑州商城》考古发掘报告被评为全国社会科学基金资助项目。

1990年

● 3月　曹桂岑、胡永庆等在淅川县丹江水库区和尚岭一带发掘楚墓2座，出土克黄升鼎等大量精美遗物。

● 3月　张志清、王胜利等发掘鹿邑武庄新石器时代遗址。

● 春　贾峨、赵青云、赵世纲、罗桃香等参加在深圳举办的"中国古陶瓷科学技术国际学术研讨会"。

● 4月　郑州"隞墟"对外开放。

● 5月　袁广阔发掘济源原城遗址。

● 夏　安金槐赴美国洛杉矶参加由李汝宽先生和周鸿翔教授主持的"夏文化国际研讨会"。

● 9月　袁广阔发掘伊川南寨遗址，发现二里头文化墓地一处。

● 10月　张玉石等对淇县卫国故城进行钻探和试掘，发现54座墓葬。

● 10月　孙新民、陈彦堂、郭木森对鲁山段店瓷窑址进行试掘，出土一批唐、宋、元时期瓷器和窑具。

● 10月　杨肇清当选为中共河南省文化厅直属机关纪委委员。

● 本年　与三门峡市文物工作队联合对上村岭虢国墓地进行抢救性发掘。发掘墓葬6座、车马坑3座、马坑1座，出土文物4800件。

● 本年　新建3000平方米文物仓库大楼。

● 本年　《舞阳贾湖》考古发掘报告被评为"全国社会科学基金青年资助项目"。

岁月记忆

1991年

- 2月　孙新民赴新加坡参加"汉代文明展"。
- 3月　任命赵清为办公室主任。
- 4月　安金槐被中国哲学社会科学规划办公室聘为"八五"期间考古学规划小组评审委员会员。
- 4月　省文化厅副厅长丁发杰、原省文物局局长刘肃正视察虢国墓地考古工地。
- 4月　设立老干部科，马晓建任副科长。
- 4月　郝本性、李京华当选为"中国科技考古学会"理事。
- 9月　郑州文博职工中等专业学校面向全国招生，招收学员29名。
- 9月　孙新民等会同洛阳市文物工作队在孟津县境内发掘汉、晋、北魏、唐代墓葬100余座，出土有唐碑、彩绘俑三彩俑等珍贵文物。
- 10月　安金槐被"中国美术分类全集领导工作委员会"聘为《中国陶瓷全集》编委会委员，并承担了《新石器时代陶器》和《夏商周陶瓷》两卷的编写任务。杨育彬、郝本性被聘为《中国青铜器全集》编委会委员，分别承担《夏商卷(1)》和《东周卷(1)》的编写任务。
- 袁广阔、宋国定到山东兖州参加国家文物局举办的考古领队培训班，并获考古领队资格。
- 12月　《中国文物地图集·河南分册》和《河南省全国重点文物保护单位、省级文物保护单位分布图》，由中国地图出版社出版。
- 12月　所党支部改选。支部书记：杨肇清，支部委员：杨育彬、郝本性、赵清、代伦英。
- 本年　张志清、赵新平等发掘罗山县天湖商周墓地，清理商代晚期墓17座，战国墓8座，出土一批商周青铜器。部分商代青铜器带有"息"字铭文。
- 本年　新郑工作站在郑韩故城遗址李马和周庄墓地发掘墓葬462座，出土文物千余件。
- 本年　姜涛、王龙正、贾连敏、孙建国等人在三门峡虢国墓地又发掘了2座周代墓葬。其中2009号墓主人虢仲为虢国又一位国君，出土文物3030件，被评选为1991年全国十大考古新发现。
- 本年　杨肇清、袁广阔、陈彦堂对焦枝复线焦作至洛阳段的古遗址、古墓葬进行发掘。
- 《淅川下寺春秋楚墓》由文物出版社出版。

1992年

- 春　安金槐、杨育彬、杨肇清等被河南大学历史系聘为兼职教授。
- 4月　孙新民、张居中、姜涛、张玉石被评为文博副研究馆员。
- 4月　美国旧金山大学人类学主任来我所访问，并作了《玛雅文化》学术报告。
- 7月　孙新民等对巩义市北宋皇陵进行了全面调查与试掘。
- 9月　张志清、赵志文等开始发掘永城芒砀山梁孝王墓前的寝园建筑和保安山2号墓。
- 9月　配合国家文物局考古领队班对郑州西山仰韶文化遗址进行了发掘，发掘面积3000平方米，发现一座仰韶文化时期的古城址。
- 10月　贾峨、李京华、杨育彬等应邀参加在安徽铜陵市召开的"亚洲文明国际学术研讨会"。
- 11月　安金槐被河南省文物局聘为"河南省文物局考古专家组组长"，张文军、郝本性为副组长，杨育彬、曹桂岑、赵青云、赵世纲、李京华、杨肇清等为专家组成员。
- 11月　赵青云出席在上海举办的"中国古陶瓷科学技术92上海国际学术研讨会"。
- 本年　袁广阔等人对辉县孟庄遗址进行发掘，发现了龙山、二里头、殷墟三个时期相互叠压的城址。被评为1994年全国十大考古新发现之一。
- 本年　曹桂岑、胡永庆等发掘淅川丹江库区楚国贵族墓地。该发掘项目被评为1992年全国十大考古新发现之一。
- 本年　姜涛、贾连敏、孙建国、郭移宏等在三门峡上村岭虢国墓地，发掘大型车马坑1座和西周墓葬2座，出土铜器、玉器等2200余件。
- 本年　张玉石、赵清、赵新平、魏兴涛等在黄河小浪底水库库区进行考古发掘。在济源留庄清理春秋时期墓葬130座，出土一批青铜器。并对济源、孟津、新安3县淹没区进行了调查。
- 本年　孙新民、郭培育等在巩义市发掘了宋真宗永定陵的地面基址和宋仁宗永昭陵的下宫。
- 《登封王城岗与阳城》由文物出版社出版。
- 《中国考古》由上海古籍出版社出版。
- 本年　《永城西汉梁国王陵与寝园》考古发掘报告被评为全国社会科学基金资助项目。

1993年

- 1月　许天申、张志清被评为文博副研究馆员。
- 3月　郝本性、曹桂岑、杨肇清、杨育彬被评为文博研究馆员。
- 3月　所中层干部调整。所长助理：张玉石；办公室副主任：刘海旺、李占杨；第一研究室主任：张居中，副主任：赵清；第二研究室主任：曹桂岑，副主任：姜涛、宋国定；第三研究室主任：孙新民，副主任：张志清；编辑室主任：方燕明，副主任：胡永庆；技术室主任：杨磊，副主任：郭民卿、马新民；保管室主任：陈焕玉，副主任：代伦英；保卫科科长：李延斌；老干部科科长：马晓建。
- 3月　中国科学院地质研究所研究员周昆叔来我所作了《环境考古学》学术报告。
- 4月　《淅川和尚岭与徐家岭楚墓》考古报告被评为全国社科基金资助项目。
- 5月　新郑工作站在新郑郑韩故城内发掘3座青铜器窖藏坑，出土60多件青铜礼器和乐器。
- 5月　杨育彬去北京大学参加"迎接21世纪的中国考古学"国际学术讨论会。
- 6月　郭民卿拍摄的《西峡发现世界罕见恐龙蛋化石群》电视新闻在河南省电视台和中央电视台先后播出。被评为"1993年度河南省十大好新闻"和"中国十大科技新闻"。
- 6月　杨育彬被批准为文化部优秀专家。
- 6月　袁广阔主持发掘汝州洪山庙遗址，发现大型仰韶文化瓮棺合葬墓，内置136件瓮棺，不少陶缸上有彩绘图案。
- 夏　"河南省科学技术史学会"换届选举，安金槐再次被该学会第二届理事会推选为理事长，李京华任副理事长兼秘书长。
- 7月　河南省省长马忠臣来所视察，并参观了标本室，对文物工作作了充分肯定，并一再嘱咐："要把文物保护好"。
- 7月　日本三重县知事田川亮三来所参观访问。
- 8月　贾峨、杨育彬、张玉石、宋国定等人赴南昌参加"中国南方青铜器暨殷商文明国际学术研讨会"。
- 8月　为配合"郑州商城与殷商文明国际学术研讨会"在郑州召开，郑州工作站组织编辑《郑州商城考古新发现与研究》(1985年~1992年)一书。

大事记

- 9月　杨育彬作为河南省文物代表团成员出访丹麦。
- 9月　国家文物局郑州西山考古领队培训班聘请张玉石为辅导老师。
- 9月　赵志文、王龙正参加国家文物局在郑州西山举办的第七期考古领队培训班,获考古领队资格。
- 秋　《登封王城岗与阳城》一书获河南省社会科学优秀成果一等奖。
- 10月　杨育彬、郝本性被国务院批准为"国家有突出贡献专家",享受政府特殊津贴。
- 11月　魏兴涛发掘光山王围攻、赵山、庙堆子等遗址,发现屈家岭晚期特殊遗迹等主要遗存。
- 12月　"河南省文物研究所"更名为"河南省文物考古研究所"。
- 《密县打虎亭汉墓》由文物出版社出版。

1994年

- 2月　所领导班子调整。所长：杨育彬，秦曙光调任所党支部副书记。
- 3月　马晓建同志任办公室主任兼老干部科科长。
- 4月　《三门峡虢国墓地》被评为全国社科基金资助项目。
- 6月　宋国定、曾晓敏等发掘新蔡葛陵楚平夜君成墓，出土一批竹简和有铭青铜兵器等珍贵文物。
- 6月　《河南考古四十年》由河南人民出版社出版。该书荣获河南省社科优秀成果二等奖。
- 7月　李占扬参加在日本举办的《河南文物展——恐龙蛋化石与甲骨》。
- 9月　陈彦堂、樊温泉、赵新平参加国家文物局在郑州西山举办的第八期考古领队培训班，获考古领队资格。
- 10月　美国科学院院士、哈佛大学教授张光直先生来所参观访问。
- 10月　张文彬、侯志英、董豪等领导视察郑州工作站新蔡葛陵楚墓出土文物。
- 10月　张志清等发掘的永城保安山二号墓及寝园建筑获国家文物局"田野考古三等奖"。
- 10月　与中国文物研究所合编的《〈新中国出土墓志〉河南卷壹》由文物出版社出版。
- 12月　蔡全法、代伦英被评为文博副研究馆员。
- 12月　著名人类学家和考古学家、美国科学院终身院士、哈佛大学人类学系教授张光直先生来我所进行学术交流。
- 12月　"河南省文物考古学会"换届。安金槐当选为名誉会长，杨育彬当选为副会长兼秘书长。学会秘书处设在本所。
- 12月　袁广阔发掘淇县王庄龙山文化遗址。

1995年

- 1月 "辉县孟庄遗址"和"永城汉梁孝王寝园"被评为1994年全国十大考古新发现。
- 2月 所党支部换届。书记：杨肇清，副书记：秦曙光，委员：杨育彬、代伦英。
- 3月 《北宋皇陵》考古报告被评为全国社科基金资助项目。
- 4月 本所被国家文化部、国家人事部评为"全国文化系统先进集体"。
- 5月 秦曙光兼任副所长。
- 6月 设立计划财务科。王文新任副科长。
- 夏 "河南省考古学会"换届并更名为"河南省文物考古学会"，安金槐被推选为名誉会长，杨育彬为副会长兼秘书长，曹桂岑为副秘书长。
- 7月 曹桂岑被河南省委、省人民政府批准为河南省管专家。
- 7月 袁广阔再次去汝州发掘煤山遗址，发现龙山墓地一处。
- 9月 河南省文物局在郑州举行"河南省考古新发现新闻发布会"，向新闻界介绍了我所发掘的"郑州西山仰韶文化遗址"、"郑州小双桥遗址"、"郑州商城遗址"的重大考古发现。
- 9月 《密县打虎亭汉墓》、《淅川下寺春秋楚墓》获"夏鼐考古学研究论著成果奖"二等奖；《淅川下王岗》、《登封王城岗与阳城》、《信阳楚墓》获"夏鼐考古学研究论著成果奖"鼓励奖。
- 9月 孙新民、郭培育等发掘巩义宋仁宗永昭陵上宫陵园建筑基址，共计揭露面积1万余平方米，出土千余件建筑构件。
- 9月 张志清等发掘伊川半坡新石器时代遗址。
- 9月 贾连敏、魏兴涛参加国家文物局在郑州西山举办的第九期考古领队培训班，获考古领队资格。
- 10月 全国政协副主席钱伟长与夫人到郑州参观视察了"隞墟"遗址和郑州小双桥商代遗址。
- 10月 我所获郑州市"市级文明单位"称号。
- 10月 袁广阔参加国家文物局和意大利在陕西宝鸡联合举办的"文物保护现场培训班"。
- 11月 曹桂岑应邀赴挪威进行学术交流，并作了"裴李岗文化的发现与研究"演讲。

岁月记忆

- 秋　安金槐、杨育彬等参加了由中国社科院考古研究所在偃师主持召开的"95商文化国际讨论会"。
- 10月　《汝州洪山庙》由中州古籍出版社出版。
- 11月　赵青云出席中国古陶瓷科学技术96上海国际学术研讨会。
- 12月　《永城西汉梁国王陵与寝园》由中州古籍出版社出版。
- 本年　宋国定等对郑州小双桥商代遗址进行了调查与发掘，发现有大型高台夯土建筑基址、祭祀场、祭祀坑群和青铜冶铸等遗迹，以及卜骨、朱书陶片等遗物。
- 本年　河南省文化厅与人事厅授予安金槐"河南省文化系统先进工作者"称号。
- 本年　赵清、樊温泉、黄克映等配合黄河小浪底水库工程，发掘新安西沃遗址、冢子坪遗址、卷子遗址。
- 本年　与日本滋贺医科大学合作，共同对河南新石器时代人骨病进行研究。该项工作1996年、1997年继续进行。

1996年

- 2月　国务委员、国家科委主任宋健和夏商周断代工程专家组负责人李学勤、李伯谦、席泽宗等一行30多人来所考察文物工作，并参观了郑州商代遗址和登封工作站。

- 2月　宋国定、曾晓敏等清理郑州南顺城街商代青铜器窖藏坑，发现青铜器12件，其中大方鼎4件。

- 3月　聘任代伦英为保管室主任，李秀萍为保管室副主任。

- 3月　《郑州西山》被评为全国社科基金资助重点项目。

- 3月　《应国墓地》考古报告被评为全国社科基金资助项目。

- 4月　所保卫科被评为"全国文物安全保卫工作先进集体"，李延斌被评为"全国文物安全保卫工作先进个人"。

- 4月　杨肇清被聘为国家文物局第九期考古领队培训班考核委员。

- 6月　"九五"全国重大科研项目"夏商周断代工程"启动，河南省文物考古研究所成为参加科研单位之一。安金槐任"夏商周断代工程"专家组成员，并担任"商前期年代学的研究"课题组组长，杨育彬任副组长。该课题的两个专题的研究：郑州商城的分期与年代测定、小双桥遗址的分期与年代测定，由杨育彬、宋国定、袁广阔、曾晓敏等人承担。方燕明承担"夏代年代学的研究"课题中的"早期夏文化"专题。

- 7月　与美国密苏里州州立大学合作，共同对登封、禹州颍河上游龙山文化遗址进行考古调查与研究。该项工作1997年继续进行。

- 8月　李京华、黄克映、刘海旺应邀参加在山东临淄市召开的"第一届中国科技典籍国际学术会议"。

- 9月　张居中被河南省委、省人民政府批准为河南省管专家。

- 9月　张志清、赵志文等与武汉大学考古专业等联合对罗山县姚台子遗址进行发掘。

- 9月　新郑工作站对新郑郑国祭祀遗址进行了发掘，发掘面积8000平方米，共清理春秋时期郑国王室青铜礼乐器坑17座、殉马坑45座，出土青铜礼乐器348件。

- 9月　孙新民、郭培育对宋仁宗永昭陵陵园进行了发掘。

- 秋　安金槐被选为中国文物学会理事。

- 11月　赵世纲应邀参加了在广西桂林召开的"中国南方及东南亚地区铜

鼓和青铜文化第三次国际学术讨论会"。

- 11月　黄克映发掘新安荒坡遗址。
- 12月　袁广阔、李占扬被评为文博副研究馆员。
- 12月　郑州文博职工中等专业学校停办。
- 12月　姜涛、王龙正、王胜利在平顶山应国墓地共发掘古墓葬300余座，出土随葬器物4000余件。其中两周墓葬50余座，多为大中型的应国和楚国贵族墓。该项目被评为1996年度全国十大考古新发现之一。
- 本年　郑州西山仰韶文化遗址、郑州小双桥商代遗址获1995年全国十大考古新发现；永城县汉梁王陵及梁孝王寝园获"八五"期间全国十大考古新发现。
- 本年　曹桂岑、王龙正、李东亮等在禹州电厂工地发掘1座宋代仿木结构砖雕墓。
- 本年　赵清、樊温泉等配合黄河小浪底水库工程发掘了济源白沟遗址、交兑遗址、桥沟遗址和新安麻峪遗址。
- 本年　《河南史前彩陶》由河南美术出版社出版。
- 本年　《永城西汉梁国王陵与寝园》一书获省社科联优秀成果一等奖。
- 本年　与韩国忠北大学博物馆合作，进行旧石器时代和古稻作起源研究。

1997年
- 1月　全国人大教科文副主任聂大江来我所视察。
- 1月　所领导班子调整。孙新民任副所长,河南省博物馆副馆长秦文生调任副所长。
- 1月　杨育彬作为《中国帝王陵墓展》学术研究组成员,出访美国丹佛自然博物馆和科罗拉多州州立大学。
- 3月　"河南省文物研究所科技服务部"更名为"河南省文物考古研究所郑州科技服务部"。
- 3月　《辉县孟庄遗址》发掘报告被评为全国社科基金资助项目。
- 3月　《河南出土陶瓷》在香港大学美术博物馆举办,参展文物99件(组)。孙新民等人参加筹展,杨育彬、赵青云、张玉石等人参加开幕式,并出版《河南出土陶瓷》一书。
- 3月　赵清、樊温泉、黄克映在黄河小浪底水库淹没区,发掘新安盐东遗址、马河遗址、槐林遗址、太涧遗址。
- 4月　张志清等发掘鹿邑太清宫遗址。
- 6月　杨育彬、杨肇清、张居中、许天申一行4人,赴韩国进行学术交流。
- 7月　所中层干部调整,实行聘任制。聘任:所长助理:张居中;第一研究室主任:赵清,副主任:袁广阔;第二研究室主任:姜涛,副主任:蔡全法;第三研究室主任:张志清,副主任:赵志文;老干部科科长兼保卫科副科长:郭向亭。
- 8月　《北宋皇陵》由中州古籍出版社出版。
- 9月　张志清、郭木森等人发掘鹿邑县太清宫一号大墓,出土铜器、玉器、陶瓷器等遗物千余件,有的器物上有"长子"、"长子口"、"戈丁"等铭文。
- 9月　杨肇清、秦文生赴日本滋贺医科大学参观访问。
- 11月　与鹿邑县人民政府在鹿邑县召开太清宫遗址发掘成果座谈会,副省长张世英出席并讲话。
- 12月　胡永庆、赵志文被评为文博副研究馆员。
- 本年　《20世纪河南考古发现与研究》由中州古籍出版社出版。该书获河南省社会科学优秀成果一等奖、河南省优秀图书一等奖、河南省五个一工程奖。

1998年

- 1月　所领导班子调整。书记、所长：杨肇清，副书记、副所长：秦曙光，副所长：秦文生、孙新民。
- 2月　杨育彬被国家文物局授予"全国文物博物馆系统先进个人"称号。
- 2月　张世英副省长、王传真厅长来我所视察工作。
- 3月　国家文物局副局长张柏、专家组组长黄景略等来我所视察工作。
- 4月　张志清被授予河南省"五一劳动奖章"。
- 4月　杨育彬被全国哲学社会科学规划领导小组聘为"国家哲学社会科学研究九五规划考古学学科规划小组（学科评审组）"成员。
- 4月　《新蔡葛陵楚墓》考古发掘报告被评为全国社科基金资助项目。
- 4月　河南省文物局、河南省文物考古研究所和水利部小浪底水利枢纽建设管理局移民局共同编辑的《黄河小浪底水库文物考古报告（一）》由黄河水利出版社出版。
- 5月　秦文生被评为文博研究馆员。
- 5月　杨育彬参加北京大学在香山举办的"汉学研究国际会议"。
- 7月　杨育彬、袁广阔到日本滋贺医科大学进行参观访问。
- 8月　秦文生被"中国殷商文化学会"推荐为理事。
- 夏　"河南省科学技术史学会"换届。安金槐任名誉理事长，杨肇清任理事长，郝本性任副理事长兼秘书长，李京华任顾问。
- 夏　美国哈佛大学罗凤鸣教授来郑州商谈与我所合作整理温县盟书事宜。
- 9月　杨肇清被评为"河南省文物系统先进工作者"。
- 9月　蔡全法赴日本东京参加"大黄河文明展"。
- 9月　袁广阔与日本京都大学秦小丽博士合作发掘焦作府城遗址。
- 10月　樊温泉发掘渑池关家遗址。
- 10月　赵清发掘渑池南村遗址。
- 10月　孙新民赴日本参加"唐武则天及其时代展"。
- 11月　赵青云应邀出席"中国古钧瓷科学技术'98上海国际学术研究会"。
- 12月　宋国定、贾连敏、方燕明被评为文博副研究馆员。
- 12月　我所荣获河南省委宣传部、河南省社科规划领导小组颁发的申报国家社科项目组织工作先进单位。

● 本年　新郑郑国祭祀遗址被评为1997年全国十大考古新发现,鹿邑太清宫遗址获1997年全国十大考古发现提名奖。

● 本年　曹桂岑当选河南省第八届政协委员。

● 本年　魏兴涛等发掘三门峡南交口遗址,发现有仰韶文化、二里头文化重要遗迹、遗物和大型汉墓1座。

● 本年　陈彦堂等发掘渑池朱城村遗址,发现龙山文化房基3座和汉墓61座,出土精美彩绘俑。

岁月记忆

1999年

- 1月　杨肇清被聘为河南省社会科学优秀论著评委会委员。
- 2月　《舞阳贾湖》由科学出版社出版发行。
- 2月　《郑州商代铜器窖藏》由科学出版社出版发行。
- 3月　所领导班子调整。实行所长负责制。所长：孙新民，书记：秦曙光，副所长：秦文生。
- 3月　郝本性、赵世纲应邀赴美国波士顿参加全美亚洲文化研究会第51届年会。
- 4月　安金槐被中共河南省委宣传部评为"1998年度河南省十大新闻人物"。
- 4月　孙新民、张居中、张志清被评为文博研究馆员。
- 4月　国家科委副主任邓楠一行30人视察北大街考古发掘工地和"隞墟"遗址。
- 4月　《鹿邑太清宫长子口墓》考古发掘报告被评为全国社科基金资助项目。
- 5月　河南省文物管理局在河南省文物考古研究所新郑工作站召开了新密古城寨龙山文化城址考古论证会。蔡全法、马俊才、郭木森等发掘的新密古城寨龙山文化城址，发现了至今仍保存较好的三面城墙和南北相对的两个城门缺口，是中原地区规模较大、保存最好的龙山城址。
- 7月　陈全国副省长视察郑州商城考古工地。
- 7月　孙新民被批准为"文化部优秀专家"。
- 8月　经河南省文化厅党组批准，由所长孙新民聘任张志清为副所长。
- 9月　举行《安金槐先生考古50年暨〈安金槐考古集〉首发式》庆祝大会，国家文物局局长张文彬、副局长张柏和中共河南省委宣传部长林炎志等发来贺信。中共河南省委宣传部常务副部长常有功，"夏商周断代工程"首席科学家李伯谦，著名考古学家、北大教授严文明，著名考古学家、中国社会科学院考古研究所研究员张长寿、殷玮璋及省内外一些专家、学者50多人前来祝贺。
- 9月　《淅川下寺春秋楚墓》获全国哲学社会科学基金资助项目优秀成果三等奖。
- 10月　河南省文化厅厅长孙泉砀来所考察工作。
- 10月　文物保护世纪行记者团来所考察访问。

大事记

● 10月　1996~1997年河南省社会科学优秀成果评选揭晓，杨育彬等著的《20世纪河南考古新发现与研究》荣获一等奖，《北宋皇陵》荣获二等奖，《永城西汉梁国王陵与寝园》荣获三等奖，李占扬等编著的《黄土高原东南部地区环境演变及古人类文化研究》荣获青年奖。

● 11月　中国考古学会第十届年会及理事会换届选举会在成都举行，安金槐当选为名誉理事，孙新民、杨育彬当选为理事。

● 12月　杨育彬、张玉石、袁广阔等赴日本京都大学人文研究所参加庆祝该所建所70周年举办的"中国古代城市起源研究学术研讨会"。

● 12月　所党支部换届。书记：秦曙光，委员：孙新民、秦文生、张志清、代伦英。

● 12月　姜涛、赵清被评为文博研究馆员，王龙正、樊温泉被评为文博副研究馆员。

● 12月　我所荣获郑州市"市级文明标兵单位"荣誉称号。

● 12月　孙新民被评为河南省跨世纪学术和技术带头人培养对象。

● 本年　刘海旺、郭培育抢救发掘潢川县高稻场黄国古墓42座，出土春秋时期青铜器144件和陶器300件。

● 本年　袁广阔等发掘焦作市府城遗址，发现商城址1座，每边长300米；宫殿基址4座，其中1号宫殿面积3000平方米。

● 本年　杨肇清、张居中等与中国社会科学院考古研究所联合调查了灵宝铸鼎塬遗址，发现新石器时代遗址30处，并对北阳平遗址进行了抢救性发掘。

岁月记忆

2000年

- 1月 魏兴涛、王胜利、李胜利开始对三门峡李家窑遗址发掘。秋,王龙正等对此遗址发掘。本年度发现虢国都城上阳城墙、城壕、宫城、环壕沟水管道、制作坊等。

- 2月 《华夏考古》被河南省新闻出版局评为"河南省社会科学期刊二十佳"和"第三届社会科学一级期刊"。

- 2月 2000年2期《考古》杂志为我所专号,主要内容为"本刊专稿——河南考古",报道了我所近年考古新发现及河南考古的世纪回顾与前瞻。

- 2月 袁广阔赴日本进行学术交流。

- 3月 日本奈良文化财研究所町田章所长一行6人来所参观访问,双方签订为期五年的《合作协议书》。

- 3月 焦作府城商代城址被评为1999年度全国十大考古新发现,被河南省委宣传部列为1999年"河南十大文艺成果"。

- 3月 宋国定、李素婷、谢巍发掘郑州小双桥商代遗址。

- 3月 进行人事制度改革,实行全员聘任合同制。所长聘任中层正职,中层正职聘任副职和工作人员。新聘任的中层干部分别为办公室主任:马晓建;业务科科长:蔡全法,副科长袁广阔;第一研究室主任:赵清,副主任:李占扬;第二研究室主任:姜涛,副主任宋国定;第三研究室主任:赵志文,副主任:贾连敏;资料室主任:代伦英;编辑部主任:方燕明;保卫科科长:李延斌,副科长:王建民;老干部科科长:郭向亭。

- 3月 赵志文、郭木森抢救发掘登封法王寺二号塔基地宫,出土一批晚唐时期的精美瓷器、铜器和玉器。

- 3月 张志清、曾晓敏赴日本滋贺医科大学参加学术交流活动。

- 4月 国家文物局副局长郑欣淼来我所视察工作。

- 4月 孙新民、秦文生、宋国定赴美国参加美国第65届考古学年会,与哈佛大学、波士顿大学、华盛顿大学等考古界同行进行了学术交流。

- 5月 河南省文化厅厅长孙全砀、副厅长刘清俭来我所视察工作。

- 6月 孙新民、郭木森、赵文军等对宝丰清凉寺汝官窑址进行第六次考古发掘,发现了为宫廷生产御用汝瓷的专业生产区及窑炉、作坊等遗迹,并出土大量汝官瓷片及各种窑具。

- 6月 "新密古城寨龙山文化城址考古新发现"新闻发布会在新密市召开。

- 7月　杨育彬、秦文生、方燕明赴广汉参加"纪念三星堆发现70周年暨殷商文明国际学术研讨会"。
- 8月　《北宋皇陵》荣获"夏鼐考古学优秀成果奖"二等奖，《永城西汉梁国王陵与寝园》、《中原古代冶铁技术研究》荣获"夏鼐考古学优秀成果奖"鼓励奖。
- 8月　《三门峡虢国墓地》第一卷和《舞阳贾湖》荣获"1999年度河南省社科联优秀成果奖"一等奖；《黄河小浪底水库考古发掘报告（一）》荣获"1999年度河南省社科联优秀成果奖"三等奖。
- 8月　郝本性、赵世纲、宋国定应邀参加在北京大学召开的简帛国际学术研讨会。
- 9月　参加"三峡工程"考古会战。赵新平等发掘重庆巫山县先锋中学东园汉代墓地，出土有巴文铜剑等重要文物。
- 9月　秦曙光、赵志文、刘海旺等五人赴日本奈良文化财研究所进行学术交流与合作考察。
- 10月　刘海旺抢救发掘鲁山县望城岗汉代冶铁遗址，发现2座炼炉和2座陶窑。
- 10月　"汝窑考古新发现新闻发布会暨专家论证会"在宝丰召开。
- 10月　与武汉大学、法国国立科学研究中心合作，对南阳龚营遗址进行了考古发掘。
- 11月　《鹿邑太清宫长子口墓》由中州古籍出版社出版。
- 11月　赵青云、孙新民应邀出席中国古陶瓷研究会在广西桂林召开的中国青花瓷国际学术研讨会。
- 11月　袁广阔、方燕明等完成了对深圳市龙岗区地下文物的普查，发现并记录文物点53处。
- 12月　中国社会科学院古代文明研究中心聘请杨育彬为专家委员会委员，聘请孙新民为客座研究员。
- 12月　张志清被评为河南省跨世纪学术和技术带头人培养对象。
- 本年　赵清、赵志文、李占扬、樊温泉、贾连敏、刘海旺、黄克映、郭培育等，抢救发掘了西峡老坟岗、光山西刘湾、潢川古城坎、商城马堆子、唐河回龙寺等遗址和潢川黄国墓地。
- 本年　张志清、赵新平、郭木森发掘鹿邑太清宫遗址，发现金代太清宫地址和宫殿建筑基址。

岁月记忆

2001年

- 2月　姜涛赴法国参加"中国考古发现展"。
- 2月　本所参与的"夏商周断代工程"项目,被国家科技部等四部委评为"九五重大科技攻关成果奖"。同时还与北京大学、中国社会科学院考古研究所同时荣获"九五国家重点科技攻关计划优秀科技成果奖"。被河南省委宣传部列为2000年"河南十大文艺成果"。
- 3月　潘伟斌与中国科技大学合作发掘舞阳贾湖遗址,首次发现两孔骨笛和墓葬中的瞑目玉器。
- 3月　魏兴涛、李胜利与中国社科院考古所联合发掘灵宝西坡遗址,发现面积逾500平方米的半地穴房基1座。
- 3月　郝本性、赵世纲应邀赴美国参加在芝加哥举行的全美亚洲文化研究协会第53届年会。
- 3月　中层干部聘任调整。第二研究室副主任:贾连敏,第二研究室副主任:陈彦堂;第三研究室副主任:刘海旺,业务科副科长:赵新平。
- 4月　李占扬编著的《白垩纪之光——西峡恐龙蛋考察漫纪》荣获第四届全国优秀科普作品三等奖。
- 4月　杨育彬赴北京参加全国社科规划办公室召开的国家社会科学研究"十五"规划工作会议,并参与中国考古学学科发展规划的讨论。
- 4月　《宝丰清凉寺汝窑址》考古发掘报告被评为全国社科基金重点资助项目。
- 4月　李占扬、楚小龙发掘确山代楼遗址,魏兴涛发掘汝南县张楼遗址。
- 4月　公安部授予李延斌全国治安内保防范个人三等功。
- 5月　中国考古学会名誉理事长、北京大学教授宿白先生来所考察访问。
- 5月　孙新民被郑州大学聘为兼职教授。
- 5月　杨育彬被河南省委宣传部、河南省哲学社会科学规划领导小组评为"河南省社科规划项目管理先进工作者"。
- 5月　新密古城寨龙山文化城址、宝丰清凉寺汝官窑址被评为2000年度全国十大考古新发现。郑州小双桥商代遗址、三门峡虢都上阳城和鲁山望城岗汉代冶铁遗址入选2000年度全国十大考古新发现候选名单。
- 7月　河南省人民政府副省长贾连朝来我所视察。
- 7月　河南省文化厅党组书记、厅长孙泉砀到本所调研,提出:"学习江总书记'七一'讲话,理清工作思路,坚持科研兴所、改革强所、从严治所,努力建设全国一流文物科研大所"。

● 8月　中共河南省文化厅党组下发《关于在全省文化系统开展向安金槐同志学习活动的通知》。

● 8月　杨育彬、袁广阔参加中国社会科学院古代文明研究中心组织的"中国古代文明的起源及早期发展国际学术研讨会"。

● 8月　赵世纲参加在长沙举行的庆祝"简帛发现50周年"国际大会。

● 9月　秦曙光、杨育彬、姜涛、贾峨、曹桂岑、李秀萍等人赴台湾大学参加"海峡两岸古玉学会议"。

● 10月　与汝州市人民政府共同承办"中国古陶瓷研究会2001年年会暨汝瓷研讨会",接待国外学者60人、国内学者近百人。与会代表参观了考古发掘现场和所文物标本室。

● 10月　《郑州商城》由文物出版社出版。

● 10月　赵文军与北京大学合作发掘禹州刘家门钧窑遗址,清理出的长条形双室窑炉为北方地区所罕见。

● 11月　孙新民、方燕明、代伦英、陈彦堂、贾连敏赴日本奈良进行学术交流。

● 11月　秦文生、杨育彬、方燕明赴渑池参加"仰韶文化发现80周年学术纪念会"。

● 11月　张志清当选为"楚文化研究会"副理事长。

● 11月　赵清赴韩国参加韩国米研究会学术研讨会。

● 12月　由张志清主持的"田野考古工作规程修订完善的前期研究"被国家文物局确定为2001年全国文物、博物馆事业人文社会科学重点研究课题。

● 12月　秦文生编著的《中华文明传真·原始社会卷》由上海辞书出版社、香港商务印书馆出版。

● 12月　宝丰清凉寺汝官窑发掘项目荣获国家文物局"2000年—2001年田野考古三等奖"。

● 12月　秦曙光当选厅直党委委员。

● 本年　赵清、李胜利、朱树政发掘重庆石柱县观音寺、沙湾和弓龙背遗址,赵志文、郭木森发掘重庆万州区马家溪遗址。

● 本年　马俊才、衡云花在新郑郑韩故城内发掘大型车马坑1座,内葬木质车22辆和马40余匹。

● 本年　陈彦堂、王胜利发掘济源柿槟墓地,清理战国和汉代墓葬58座。

岁月记忆

2002年

- 1月　魏兴涛、李素婷赴美国华盛顿大学进行学术交流。
- 2月　杨育彬在北京参加国家探源工程专家组会，我所承担"登封王城岗城址周围龙山文化聚落分布的调查"、"新密古城寨城址内的布局与内涵"、"淮阳平粮台古城和郾城郝家台古城发掘资料整理"等项专题。
- 2月　灵宝西坡遗址考古新发现新闻发布会在郑州召开，《郑州商城》首发式同时举行。
- 2月　应香港康乐及文化事务署之邀，张志清等11名业务人员赴香港参加香港西贡沙下遗址考古发掘，河南省文化厅党组书记、厅长孙泉砀，河南省文物局局长常俭传为全体赴港人员送行。
- 2~12月　樊温泉与郑州大学历史与考古系、三门峡市文物考古研究所等单位联合对庙底沟遗址进行了大规模的抢救性发掘，发现了仰韶文化庙底沟类型、西王村类型及庙底沟二期文化等时期的遗存，同时还清理了200多座唐、宋、元、明时期的墓葬。
- 3月　所中层干部聘任调整。办公室主任：马晓建，副主任：李延斌（兼）；业务科科长：陈彦堂，副科长：袁广阔、赵新平；第一研究室主任：李占扬，副主任：魏兴涛；第二研究室主任：贾连敏，副主任：宋国定、樊温泉；第三研究室主任：赵志文，副主任：刘海旺；资料室主任：胡永庆；编辑部主任：方燕明；计财科科长：王文新；保卫科科长：郭向亭，副科长：赵宏；老干部科科长：李延斌。成立专家督导组，成员：赵清、姜涛、代伦英、蔡全法。
- 春　郭木森发掘宝丰清凉寺汝窑遗址，出土宋代碗、盘、洗、钵、樽、瓶等御用汝瓷器150件。
- 4月　《巩义黄冶唐三彩》由大象出版社出版。
- 4月　李占扬对确山后胥山化石点进行抢救发掘，出土20余种脊椎动物化石。
- 4月　赵志文、朱汝生发掘驻马店市国楼新石器时代遗址。
- 4月　刘海旺、赵文军发掘驻马店国楼遗址和泌阳舞阴故城遗址。
- 4月　《济源轵国秦汉墓葬群》考古发掘报告被评为全国社科基金资助项目。
- 4~11月　本所继续与日本奈良国立文化财研究所合作，进行关于唐三彩的合作研究。
- 5月　杨育彬等编写的《河南考古探索》由中州古籍出版社出版。

大事记

- 5月　河南省人大考察团一行10人来我所视察。
- 5月　我所赴港考古队顺利返郑。在香港沙下遗址发掘近千平方米，发现了丰富的原始社会、青铜时代的遗迹和遗物。
- 5月　李占扬、潘文斌、裴涛抢救发掘郑州后魏遗址、新乡关堤古墓群。
- 5月　郝本性、杨育彬赴北京参加"温故知新——面向未来的中国考古学"国际学术研讨会。杨育彬提交《试论商代前期古城的考古发现及相关问题》的论文，郝本性提交《悬书考》的论文。
- 5月　辛革赴香港参加由河南省文物局和香港古迹古物处联合举办的"华夏文明之源"大型文物展，并应邀在香港艺术馆作了"近年来河南考古新发现"的学术讲座。
- 5~9月　李占扬发掘温县北平皋邢邑古城遗址，发现有"邢公"和"邢"等陶文。
- 5~10月　郭培育发掘尉氏县凉马湖汉代墓群，发掘汉代墓葬20座。
- 6月　杨育彬、郝本性赴武汉参加"商代盘龙城与武汉城市发展研讨会"。
- 6月　陈彦堂应邀为北京大学考古文博学院陶瓷专业研究生作"中原地区汉代铅釉陶器的综合研究"学术讲座。
- 6月　孙新民应邀在北京大学考古文博学院作"汝窑的考古发现与研究"专题学术讲座。
- 6月　陈彦堂应台湾大学邀请，赴台北参加"东亚文化圈的形成与发展学术研讨会"，除进行大会发言外，又应邀在历史博物馆作了"河南汉代艺术陶器的个案研究"的专题学术讲座。
- 7月　《启封中原文明》由河南人民出版社出版。
- 7月　我所举办庆祝河南省文物考古研究所建所50周年纪念活动，召开400余人参加的庆祝大会；同时成功举办"华夏文明的形成与发展"学术研讨会，来自国内外100余位专家学者参加了学术研讨会。《中国文物报》、《华夏考古》和《河南文物工作》为此出版了纪念专号。
- 7~8月　赵新平发掘重庆市石柱县观音寺遗址，出土80余件唐宋时期的文物。
- 8月　郝本性参加"纪念商承祚先生百年诞辰暨中国古文字国际学术研讨会"，并宣读《郑子耳鼎、窑登鼎、鲁侯壶考释》论文。
- 8月　杨育彬、方燕明、宋国定在北京参加夏商周断代工程专家组扩大会议,讨论《夏商周断代工程1996—2000年阶段成果报告繁本》二稿。

- 8~12月　郭木森发掘巩义市黄冶窑遗址,出土唐三彩等文物1000余件。清理汉代窑炉2座,唐代窑炉6座,宋元窑炉4座,作坊2处,釉料坑2个,澄泥池1处,灰坑55座。
- 8~12月　马俊才发掘冯庄东周制陶遗址。
- 8~12月　马俊才发掘新郑后端湾郑国中字形大墓。
- 9月　国家文物局局长单霁翔考察新郑车马坑。
- 9月　孙新民应邀在澳大利亚拉楚布大学考古系作"北宋皇陵葬制及石雕艺术"学术演讲。
- 9月　方燕明应邀到台湾参加"印度太平洋史前学会第十七届年会暨第一届海峡两岸亚太地区史前学研讨会",在大会作《从瓦店遗址的发掘看颍河上游的聚落形态》的发言。
- 9~11月　我所与法国国立科学研究中心、武汉大学合作,继续开展楚文化研究,发掘南阳龚营遗址。
- 9~11月　刘海旺发掘重庆丰都县庙背后冶炼遗址,出土汉代至南宋文物500余件。
- 9~12月　黄克映发掘方城县胡岗墓地、襄城县叶岗墓地。
- 9月　郝本性应邀在国家文物局举办的"全国青铜器海关责任鉴定员培训考核班"(郑州)举办学术讲座。
- 9月　杨肇清、李京华、曹桂岑、秦文生参加河南省文物考古学会与沁阳市人民政府联办的"神农坛学术研讨会",李京华提交论文《试谈沁阳神农坛与仰韶文化遗址群》,曹桂岑提交论文《沁阳古文化与神农坛研究》。
- 10月,赵志文、赵文军赴山西太原参加中国古陶瓷学术研讨会。
- 10月　秦文生、赵清、李延斌、王文新、祝贺赴日本奈良文化财研究所进行学术交流。
- 10月　孙新民赴上海参加中国白瓷国际学术讨论会,并宣读了"巩义窑唐代白瓷的初步探讨"论文。
- 10月　李占杨、赵新平赴济南参加山东大学举办的"中国重大考古发现学术讨论会"。
- 10月　陈彦堂发掘信阳市长台关7号墓,出土大量精美铜器和漆木器。
- 10~12月　方燕明与北京大学考古文博学院合作发掘登封王城岗遗址。

发现大城址1座。

● 11月　孙新民、陈彦堂赴杭州参加"南宋官窑国际学术研讨会"，孙新民宣读"汝窑与老虎洞窑的比较研究"论文。

● 11月　李京华赴湖北鄂州市参加"全国冶金史和钱币史学术研讨会"，并宣读《中国冶金技术的特殊性与特殊技术的重要性》的论文。

● 12月　秦曙光、李占扬应邀赴韩国参加第七届韩国垂阳介遗址国际学术讨论会。

● 12月　袁广阔被评为文博研究馆员，曾晓敏被评为文博副研究馆员。

● 本年　为配合郑新高速公路的建设，我所发掘了新乡县的关堤墓地、庄岩墓地，原阳县的福宁集墓地、原阳金堤、杨大寨墓地，郑州市管城区南曹乡司赵村汉代墓地。

● 本年　马俊才发掘能人大道战国制陶遗址。

● 本年　马俊才发掘许岗4号墓和3号陪葬坑。

● 本年　郑州工作站在郑州商城遗址范围内，发掘了郑州回民中学、西大街南侧的考古工地等19处。

● 本年　蔡全法、袁广阔发掘新密古城寨遗址。

● 本年　承担国家科技部重点攻关项目"中华文明探源工程预研究"中的"登封王城岗遗址周围龙山文化遗址的调查"、"新密古城寨城址的布局与内涵"、"史前刻画符号研究"、"济源地区龙山至二里头时期考古学文化的谱系与分期"和"淮阳平粮台与郾城郝家台城址发掘资料整理"等项子课题。

● 本年　"全国文博事业人文社会科学重点研究课题——田野考古工作规程修订完善的前期研究"获得立项。

● 本年　孙新民主编的《北宋皇陵》获"第二届郭沫若中国历史学奖"三等奖。

● 本年　安金槐主编的《郑州商城》获"1998—2001年河南省社科优秀成果荣誉奖"；姜涛等编著的《三门峡虢国墓地（一）》获一等奖；张居中等编著的《舞阳贾湖》获二等奖；张志清等编著的《鹿邑太清宫长子口墓》获三等奖。

● 本年　禹州神垕镇钧窑遗址发掘获2002年度全国十大考古新发现。

岁月记忆

2003年

- 1月　杨育彬、袁广阔、方燕明、蔡全法等参加在北京举行的中华文明探源工程预研究工作汇报会。
- 2~5月　魏兴涛发掘重庆万州铺垭墓地。
- 3~4月　孙新民作为郑州大学兼职教授,为该校历史与考古系研究生开设陶瓷考古专题课。
- 3~5月　马俊才继续发掘新郑能人大道制陶遗址,并确定了该遗址为战国中晚期的官营作坊。
- 3~5月　马俊才继续发掘冯庄制陶遗址,发现东周灰坑27座、水井4眼、墓葬54座。
- 3~6月　马俊才继续发掘新郑许岗战国墓。
- 3~7月　刘海旺、朱汝生发掘了留村新石器时代遗址及西窑头古墓葬区。
- 3~12月　为配合济源至洛阳高速公路工程建设,黄克映发掘济源市轵城镇南冢遗址、新峡村遗址和新峡村墓地;郭培育发掘洛阳邙山陵墓群。
- 5~8月　为配合洛阳至少林寺高速公路的建设,李占杨、裴涛发掘了伊川汉唐墓葬,清理晋、唐、宋等各时期墓葬20余座,出土银器、铜器、瓷器、三彩器、陶器等200余件。
- 上半年　蔡全法发掘新密古城寨龙山文化城址,清理灰坑、墓葬、房基、水井、陶窑等遗迹数10处,出土了一批具有重要学术价值的文物。
- 7月　为配合西气东输豫北支线工程,潘伟斌在辉县辛村墓地清理灰坑8个、窖藏坑2个、墓葬1座,出土了一批瓷器。
- 7~12月　为配合内黄县河道整治工程,刘海旺、朱汝生在三杨庄清理出两组保存较为完整的汉代建筑群落。
- 8~12月　为配合平顶山市公路建设,王龙正、赵文军发掘清理战国、汉代墓葬60余座,出土铜器、铁器和陶器等文物400余件。
- 9月　《辉县孟庄》由中州古籍出版社出版。
- 10月　《新蔡葛陵楚墓》由大象出版社出版。
- 10月　《华夏文明的形成与发展》由大象出版社出版。
- 10月　赵世纲参加在香港举行的"第四届国际中国古文字研讨会",并宣读《祷祠考——温县盟誓遗址盟辞释读》的论文。
- 10月　杨肇清、秦文生赴南京参加南京博物院成立50周年庆典及学术研讨会。

● 10月　陈彦堂参加在西安举行的"汉唐陵墓制度研究国际学术研讨会"，并作了"关于汉代低温铅釉陶器研究的几个问题"的大会发言。

● 10月　郝本性、曹桂岑、陈彦堂、贾连敏、马俊才应邀参加在湖北宜昌举行的"楚国历史与文化国际学术研讨会"。陈彦堂作了"信阳长台关七号楚墓发掘的主要收获"、马俊才作了"郑韩故城考古新发现"的大会发言，曹桂岑提交《河南楚文化的发现与研究》、贾连敏提交《试论新蔡楚简中的楚先祖名》的论文。

● 10月　张志清、郭木森、王龙正、胡永庆、马晓建应邀赴日本作学术交流，张志清作"近年来河南考古的新发现与研究"、郭木森作"黄冶唐三彩窑址的重要发现"的学术演讲。

● 10月　姜涛赴香港参加"两周琢玉工艺研究学术会议"。

● 10月　杨育彬赴侯马参加"晋文化学术研讨会"，并提交《从考古发现谈晋文化在河南的传播》的论文。

● 10~12月　袁广阔发掘了固始高墩子遗址，发现西周时期的大型夯土基址一处。

● 11月　张志清、方燕明、赵新平、马新民、杨玉华、谢巍、李胜利赴香港进行沙下西贡遗址的资料整理，并参加了有关学术活动。

● 11月　袁广阔、方燕明赴济南参加"中国东方地区古代社会文明化进程国际学术研讨会"，并提交论文。

● 11月　杨肇清、曹桂岑、李京华、秦文生、蔡全法等参加中国古都学会等组织召开的"黄帝轩辕丘研讨会"。

● 11月　赵青云、赵文军、毛杰英赴长沙参加中国古陶瓷学会2003年会，赵青云作"唐青花的新发现"大会发言。

● 11~12月　赵志文发掘修武当阳峪瓷窑遗址，清理窑炉2座，作坊2处，灰坑7个，窑穴1个，灶3个，出土文物300余件。

● 12月　孙新民、赵青云应韩国国立中央博物馆邀请赴汉城访问交流，孙新民作"中国河南省陶瓷发掘现况——以汝窑、钧窑为中心"的学术演讲。

● 12月　孙新民、张志清应法国国立科学研究中心邀请赴法国访问交流，在索邦大学，孙新民作"中国巩义黄冶窑址考古新发现"、张志清作"鹿邑长子口墓和长台关楚墓的发现与研究"的学术演讲。

● 12月　李占扬、李秀萍被评为文博研究馆员，刘海旺被评为文博副研究

馆员。

● 本年　为配合安钢二期扩建工程,马俊才、王龙正等与中国社会科学院考古研究所及部分高校合作,在殷墟保护区孝民屯遗址进行了大规模的考古发掘。

● 本年　贾连敏、曾晓敏、韩朝会继续对郑州商城遗址进行考古发掘,较重要的发现有紫荆山路东侧东大街北的夯土建筑遗迹、黄委会综合楼区的二里岗下层夯土建筑遗迹和墓葬、郑州三中商住楼唐代铸钟遗迹等。

● 本年　赵志文、郭木森继续对巩义黄冶唐三彩窑址进行发掘,清理窑炉3座,作坊2处,澄泥池配套设施1处,沟6条,灶3个,井1眼,路1条,墓葬1座,灰坑70个。出土完整和可复原器物900多件。

● 本年　《温县盟书》获国家社科基金重点资助项目。

● 本年　杨育彬等编著的《河南考古探索》获河南省社科优秀成果一等奖;秦文生等编著的《启封中原文明》获二等奖,并获省"五个一工程"奖。

● 本年　我所获河南省人事厅、省文物局颁发的"全省文物系统先进单位"称号。

2004年

- 2~6月　郭木森发掘汝州张公巷瓷窑址,发现有澄泥池、水井等制瓷设施,出土50余件近似汝窑的青釉瓷器。

- 2~8月　李占扬、杨树刚、裴涛、潘伟斌、李胜利先后对阿深高速公路濮阳段的清丰县东纪庄墓地、南乐县彭村墓地、濮阳县宋庄汉代黄河决口遗址、长垣段后谷寺墓地进行了发掘。

- 2~8月　赵志文发掘当阳峪窑址,清理作坊、过滤池、辘轳坑、窑炉、水井、沟、灰坑、窑穴、灶等各类遗迹百余处,出土文物上千件。

- 春　宋国定发掘洛阳吉利区南陈遗址群,发现仰韶文化时期的环壕聚落遗址1处、西周时期房址6处和中小型墓葬19座。

- 3~12月　刘海旺、朱汝生发掘重庆市丰都县庙背后炼锌遗址,发现炼炉、炼锌堆积坑等重要遗迹,出土元末明初时期各类文物200余件。

- 4~7月　马萧林发掘灵宝西坡遗址,揭露仰韶时代庙底沟期大型半地穴式房基1座。

- 4~8月　黄克映发掘漯河空冢郭乡陈岗墓地,清理战国、两汉、唐宋时期古墓葬35座。

- 4~9月　郭培育发掘禹州市钧台瓷窑遗址。

- 5月　由我所承办的"巩义黄冶窑、汝州张公巷窑考古新发现专家研讨会"取得圆满成功,来自国内外的专家学者60余人与会,给予河南陶瓷考古成果以较高的评价。

- 5月　袁广阔参加在杭州举行的"中国早期刻划符号研究"学术研讨会。

- 5月　郝本性参加在南京举办的世界历史文化名城博览会。

- 5月　马俊才参加在江苏溧阳召开的"吴越与早期货币学术研讨会",并作专题发言。

- 5~6月、10~12月　郭木森发掘巩义黄冶窑址。

- 5~7月　潘伟斌、李胜利对商周高速公路周口淮阳段大李墓地进行了发掘。

- 6月　陈彦堂应邀担任北京大学考古文博学院硕士研究生毕业论文评审委员和答辩委员,并出席答辩会。

- 7月　杨育彬、秦文生、袁广阔、宋国定参加在安阳举行的"殷商文明国际学术研讨会",杨育彬提交了《试论商代古城址的几个相关问题》、秦文生提交《盘庚

岁月记忆

迁殷考》、宋国定提交《商代中期祭祀礼仪考——从郑州小双桥遗址的祭祀遗存谈起》的论文。

● 7月　杨育彬参加在北京举行的"偃师商城建都3600年暨考古工作20年专家座谈会"。

● 7月　刘海旺发掘上蔡县航寨遗址。

● 7月　《禹州瓦店》由世界图书出版公司出版。

● 7~12月　袁广阔发掘郾城皇遇遗址和陈岗墓地。

● 7~12月　魏兴涛、赵文军、楚小龙发掘平顶山蒲城店遗址，发现了一座保存状况较好的龙山文化城址。

● 8月　郝本性参加在北京召开的"张衡地动仪复原模型项目开题论证会"。

● 8月　陈彦堂应邀参加中国社会科学院考古研究所在济南举行的"汉代考古学与汉文化国际学术研讨会"，并作了《葬仪的移植——汉代陶俑功能的另一种诠释》的发言。

● 8月　陈彦堂应邀为河南省政府南水北调中线工程领导小组办公室作"南水北调中线工程河南文物保护工作的现状与展望"的学术报告。

● 8月　孙新民、秦曙光、袁广阔参加在呼和浩特举行的"内蒙古文物考古研究所建所五十周年暨长城地带草原文明国际学术研讨会"，孙新民作了《略论辽三彩与唐宋三彩的异同》的大会发言，袁广阔提交了论文。

● 9月　郝本性参加在安徽铜陵召开的青铜文化研讨会，并宣读论文。

● 9月　杨育彬、秦文生、曹桂岑、袁广阔、方燕明参加在郑州大学举办的"中原地区文明化进程学术研讨会"，杨育彬提交了《关于中国古代文明起源的几个问题》、曹桂岑提交《龙山文化是五帝文化》、秦文生提交《中原文明是中国文明的源头》的论文，方燕明作了《登封王城岗遗址考古新发现及其意义》的发言。

● 9月　赵新平、孙建国对郑州西山遗址再次进行了发掘，发现仰韶时代壕沟1条和灰坑8个。

● 9~12月　方燕明与北京大学合作发掘登封王城岗城址，勘探发掘出一座大型龙山文化城址。

● 10月　《淅川和尚岭与徐家岭楚墓》由大象出版社出版。

● 10月　《固始侯古堆一号墓》由大象出版社出版。

● 10月　杨育彬、杨树刚参加在徐州召开的"淮河流域古代社会文明化进程学术研讨会"。

- 10月　陈彦堂参加国家文物局在西安召开的"大遗址保护规划学术研讨会"。
- 10月　孙新民、赵青云、赵文军参加在江西景德镇召开的"中国古陶瓷学会2004年年会暨景德镇千年传统陶瓷文化研讨会"。
- 10月　方燕明参加在长春召开的"全国第七届科技考古学术研讨会",并作了"河南龙山文化和二里头文化碳十四测年的若干问题讨论"的发言。
- 10~11月　秦文生参加国家文物局在北京大学举办的"全国省级文物考古所长专业管理干部培训班"。
- 11月　孙新民应邀赴日本爱知县陶瓷资料馆参加"洛阳之梦——唐三彩"展览开幕式和唐三彩国际学术研讨会,并作了《巩义黄冶窑考古新发现》的演讲。
- 11月　秦曙光、李素婷、魏兴涛、赵新平、赵宏等应邀访问日本奈良文化财研究所。
- 11月　杨育彬、郝本性、曹桂岑、秦文生、蔡全法、宋国定参加在郑州召开的"郑州商都3600年学术研讨会暨中国古都学会2004年会",杨育彬提交《郑州市域内古城址与华夏文明》、郝本性提交《谈郑州商城文化内涵在中国历史上的深远影响》、曹桂岑提交《论古城寨龙山文化古城的始建年代与黄帝轩辕丘》、秦文生提交《郑州商城与偃师商城之比较研究》、蔡全法提交《商都郑州之根源》、宋国定提交《论郑州地区夏商文化的时空框架》的论文。
- 11月　郭移宏参加在北京召开的文物修复研讨会。
- 11月　陈家昌参加国家文物局在北京召开的"出土文献抢救、保护、整理骨干培训班"。
- 11月　秦文生、杨树刚参加西安市"城市考古学术研讨会"。
- 12月　李京华参加在湖北鄂州召开的"中国古代范铸法铸钱工艺模拟实验研究鉴定会"。
- 12月　贾连敏、宋国定被评为文博研究馆员,马萧林、赵文军被评为文博副研究馆员。
- 本年　贾连敏、曾晓敏、韩朝会在郑州商城遗址保护区内配合新长城房地产、三门峡石油驻郑办、河南饭店等16个建设单位进行了考古发掘。
- 本年　樊温泉、朱树政配合新郑市政建设工程,在新郑市卫生防疫站、华

联房地产、中华北路等 10 余处地点进行了发掘。

- 本年 《郑州小双桥》获国家社科基金资助项目。
- 本年 孙新民获国务院"政府特殊津贴",并被聘为郑州大学博士研究生导师。
- 本年 袁广阔入选"第二届河南十大青年社科专家"。
- 本年 袁广阔等编著的《辉县孟庄》获 2003 年度河南省社科优秀成果二等奖。
- 本年 继续与日本奈良文化财研究所合作,对巩义黄冶窑出土唐三彩进行共同研究。
- 本年 与日本九州大学合作,对新郑郑韩故城出土人骨进行科学测试。
- 本年 与法国国立科学研究中心合作,完成南阳龚营遗址的资料整理工作。

2005年

- 1月　方燕明参加在北京举行的"中华文明探源工程聚落结构反映的文明形态"研究工作会。
- 1~2月　马萧林、马俊才应邀赴日本九州大学进行学术交流，分别作《河南灵宝铸鼎原地区聚落形态与动物遗存研究》和《殷墟孝民屯遗址发掘》的学术演讲。
- 1~2月　郭培育发掘唐河县大河屯遗址。
- 3月　《黄冶窑考古新发现》由大象出版社出版。
- 3~4月　郭培育发掘南阳黑龙庙遗址与汉墓。
- 3~4月　郭培育发掘南阳市大王庄遗址。
- 3~9月　王龙正发掘大田庄一号墓，常庄五号墓、六号墓及一号车马坑。
- 3~10月　刘海旺、朱汝生继续对内黄三杨庄汉代村落遗址进行发掘。
- 4月　方燕明参加在北京举行的"2004年度全国十大考古新发现评选会"，向大会报告河南登封王城岗龙山文化城址的考古发现。
- 4月　郝本性、曹桂岑赴陕西参加"黄帝祭祀与中华传统文化学术研讨会"并宣读论文。
- 4月　李占扬发掘许昌灵井遗址，出土旧石器时代晚期石器、骨器制品2000余件，其中磨制石器和骨器30件。
- 4~6月　陈彦堂、贾连敏、郭木森先后赴韩国参加世界陶瓷博览会第三届双年会举办的"青瓷的形与色"专题展览，并出席相关学术活动。
- 4~6月　王龙正会同平顶山市文物局、叶县文化局在叶县旧县乡澧河南岸清理战国楚墓5座、车马坑1座、汉墓3座。
- 4~7月　黄克映发掘南阳市大周庄墓地。
- 4~7月、11~12月　赵志文发掘巩义白河窑址，清理窑炉一座，灰坑40余个，出土各类文物上千件。
- 4~12月　楚小龙、李胜利发掘荥阳薛村遗址。
- 4~12月　杨树刚、郭亮发掘温县陈家沟遗址。
- 4~12月　赵新平、韩朝会发掘方城平高台遗址。
- 5月　孙新民应英国东方陶瓷学会邀请进行学术交流，作《中国汝窑的发现与认识》的演讲。
- 5~7月　赵清、曾晓敏、郭培育、郭木森在南阳市镇平县曲屯乡发掘小周

营遗址。
- 5~7月 郭木森在汝州市发掘东沟窑址。
- 5~12月 马俊才等发掘上蔡郭庄楚墓,出土大量精美青铜器、玉器和陶器等。
- 6月 陈彦堂、赵志文应邀担任北京大学考古文博学院硕士研究生毕业论文评审委员和答辩委员。
- 6~12月 胡永庆、蒋中华发掘淅川阎杆岭墓地,清理东周、秦汉墓葬97座。
- 7~12月 赵新平、任潇发掘鹤壁刘庄遗址,清理先商文化墓葬336座,出土随葬品近500件(套)。
- 8月 杨育彬参加在北京举行的"平谷古文化研讨会",并提交《平谷刘家河商代青铜器及其相关问题》的论文。
- 8月 郝本性赴北京参加国家文物鉴定委员会全体会议,并被聘任为青铜器专业委员会委员。
- 8月 秦文生赴法国、意大利考察。
- 8月 贾连敏参加在武汉大学举行的"战国简帛学术研讨会"。
- 8~12月 李素婷发掘三门峡市三里桥遗址,共清理出灰坑104个,沟状堆积1条,房基3座,陶窑2座,墓葬7座,出土一批精美的新石器时代遗物。
- 9月 马萧林参加在开封举行的"黄河文明形成与发展学术研讨会",并作《河南灵宝铸鼎原聚落形态研究》的学术报告。
- 9~10月 黄克映发掘登封程窑宋元瓷窑址。
- 9~11月 宋国定发掘泌阳下河湾冶铁遗址。
- 9~12月 潘伟斌发掘安阳固岸墓地,清理东汉墓葬9座、北齐墓葬20座。
- 10月 《安金槐先生纪念文集》由大象出版社出版。
- 10月 由我所承办的"河南省文物考古学会第四届会员代表大会暨学术研讨会"在郑州召开,孙新民当选为执行会长,杨育彬、秦文生当选为副会长兼秘书长,我所18名研究人员当选为学会理事。
- 10月 杨育彬、秦文生、袁广阔、方燕明、宋国定等参加在偃师举行的"中国二里头遗址与二里头文化国际学术研讨会",并分别提交论文。
- 10月 由河南省文物局与郑州市人民政府主办、我所与郑州古都学会承办的"郑州商城遗址发现60周年专家座谈会"在郑州举行，我所郝本性、杨育彬、赵世刚、孙新民、秦文生、袁广阔、宋国定、贾连敏、陈彦堂等出席会议。

- 10月　马萧林应邀担任中国社会科学院考古研究所博士研究生毕业论文开题报告评审委员和答辩委员。
- 10月　方燕明赴香港参加"香港的远古文化——西贡沙下考古发现暨文物保护与考古研究研讨会"并发言。
- 10月　陈家昌赴西安参加国际古遗址理事会（1COMOS）第十五届大会暨科学研讨会。
- 10月　张志清、姜涛、辛革、郭向亭赴日本奈良文化财研究所等单位进行学术访问。
- 10月　杨育彬参加在郑州举行的全国哲学社会科学规划办公室十省市调研座谈会。
- 10~11月　郭培育在永城市芒山镇彭阁村发掘汉代墓葬7座。
- 11月　孙新民作为"第六批河南省优秀专家行业评审委员"，参加了由省委组织部组织的第六批省优秀专家的评审。
- 11月　孙新民参加国家文物局主办的全国田野考古工作汇报会，在会上代表河南作了"2004—2005年河南考古新发现和工作成果"的发言。
- 11月　由河南省文物局与中国古陶瓷学会主办、我所与禹州市人民政府承办的"2005禹州钧窑学术研讨会"在禹州召开，来自国内外的100余名专家学者与会。郭培育在大会上作《2004年禹州钧台窑的新发现》主题发言，赵青云、孙新民、郭培育、赵志文等出席会议。
- 11月　由我所作为承办单位之一的"文明起源——考古与历史的整合学术研讨会"在郑州举行，郝本性、杨育彬、曹桂岑、杨肇清、秦文生、袁广阔、方燕明、宋国定、马萧林等出席会议。
- 11月　郝本性参加在漯河召开的"许慎文化国际学术研讨会"。
- 11月　王蔚波参加在北京召开的"2005国际博物馆影像技术研讨会"，并宣读了"论文物数字摄影作品的版权及其相关问题"的论文。
- 11月　陈家昌赴武汉参加了国家文物局举办的全国漆木器脱水保护技术培训班。
- 12月　袁广阔参加在合肥举行的"蚌埠双墩遗址学术研讨会"。
- 12月　秦文生赴台湾参加台北历史博物馆举办的"王朝秘宝——古中原

考古文物展"开幕式。

● 12月　蔡全法被评为文博研究馆员,杨文胜被评为文博副研究馆员。

● 本年　贾连敏、韩朝会、曾晓敏在郑州商城配合黄委会机关职工住宅楼、华林新时代广场、管城环卫队住宅楼、省信访局、中通实业发展有限公司、河南华诚房地产开发公司、河南瑞奇房地产等7个单位基建工程进行考古发掘。

● 本年　樊温泉、朱树政在郑韩故城遗址及其附近进行考古发掘,清理灰坑、墓葬等古代遗迹600余处,出土各类文物千余件。

● 本年　马萧林与中国社会科学院考古研究所合作发掘灵宝西坡遗址,清理仰韶文化墓葬22座。

● 本年　《淮阳平粮台》获国家社科基金资助项目。

● 本年　方燕明主编的《禹州瓦店》获河南省社科优秀成果一等奖。

2006年

- 1月 马萧林任副所长。
- 1~7月 马俊才发掘上蔡郭庄2号楚墓。
- 2~9月 杨树刚、郭亮继续发掘温县陈家沟遗址,清理龙山、两周灰坑600多座,东周房址、陶窑各1座,历代墓葬75座。
- 2~9月 赵志文等继续发掘巩义唐三彩窑址,清理遗迹有窑炉、灰坑、沟、灶、房基,出土文物标本800余件。
- 2~10月 楚小龙等继续发掘荥阳薛村遗址。共发现汉、隋、唐、宋、金、元、明、清墓葬335座,出土文物约4000多件。
- 2~12月 潘伟斌等继续发掘安阳固岸墓地,清理东周、两汉、魏晋、十六国、北齐、东魏和隋代墓葬144座。
- 3月 胡永庆应邀赴意大利进行学术交流。
- 3~5月 马萧林与中国社会科学院考古研究所等单位合作,继续发掘灵宝西坡遗址,发现庙底沟时期特大型墓葬2座,中、小型墓葬10座。
- 3~8月 韩朝会继续发掘方城平高台遗址,发现一批龙山时代房屋基址、奠基坑、器物坑、灰坑、墓葬、灰沟等,战国至汉代墓葬78座。
- 3~10月 黄克映发掘济源市泗涧墓地、岭头墓地古代墓葬200座。
- 3~12月 本所与日本奈良国立文化财研究所继续进行关于巩义唐三彩窑址的合作研究。
- 3~12月 胡永庆、将中华继续发掘淅川阎杆岭墓地,清理楚墓、秦人墓、汉墓112座。
- 3~12月 李占扬继续发掘许昌灵井旧石器时代遗址。
- 4月 秦文生应邀参加商丘火文化学术讨论会,作《火·燧·商丘》的发言。
- 4月 马萧林应邀参加北京大学考古文博学院举办的"从考古学理念到实践田野考古的教学、培训与实践"国际学术讨论会。
- 4月 陈彦堂应邀赴意大利罗马、威尼斯等地参观考察。
- 5月 李占扬应聘担任中国科学院硕士学位论文答辩委员会委员。
- 5月 陈彦堂被聘任为中国社会科学院研究生院考古系兼职教授。
- 5~10月 樊温泉、朱树政发掘新郑王许战国环壕遗迹。
- 5~10月 樊温泉、朱树政发掘新郑棒槌窑汉代画像砖墓1座。
- 5~12月 郭培育发掘焦作聩城寨遗址。

- 5~12月　刘海旺、朱汝生发掘禹州雍梁故城，基本明确了城址的大致范围。
- 5~12月　王龙正等发掘叶县文集遗址，发现宋元时期房基、道路、水井、砖砌排水槽、窖藏坑、灰坑、灰池等遗迹412处。
- 6月　郝本性于中国首届文化遗产日在河南博物院举办讲座：《从中原礼乐文化解读中国传统价值观荣辱观》。
- 6月　马萧林应邀赴韩国釜山大学参加"中国的开港场与文物交流国际学术研讨会"。
- 6月　方燕明、赵新平赴上海参加"环太湖地区新石器时代末期文化及广富林遗存学术研讨会"，就"广富林遗存与中原相关文化遗存的关系"作了发言。
- 6月　马俊才在北京中国科学院中国高等科学中心参加"中国冶金考古研讨会"，宣读论文《郑国铸币技术》、《郭庄楚墓重要发现》。
- 6~10月　武志江发掘渑池笃忠遗址。
- 7月　杨育彬在河南安阳参加中国殷商文化学会举办的"H127甲骨坑发现70周年暨殷商文明国际学术研讨会"，提交学术论文并在分组会上发言。
- 7月　李占扬参加"长春东亚旧石器考古论坛"，作《河南许昌灵井旧石器时代晚期遗址首次发掘的主要收获》的学术报告。
- 7月　方燕明赴北京参加"中华文明探源工程（一）——2500BC—1500BC中原地区文明形态研究"结题汇报会，报告"登封王城岗遗址的年代、布局及周围地区聚落形态"子课题研究成果。
- 7月　孙新民应邀赴希腊、意大利进行学术交流。
- 7~9月　贾连敏、曾晓敏发掘荥阳小胡村墓地，清理商代晚期墓葬58座。
- 7~10月　马俊才发掘上蔡翟庄墓地，清理蔡国墓葬1座、中小型墓葬32座。
- 7~11月　张志清发掘永城芒砀山汉代礼制建筑基址。
- 7~12月　赵新平等继续发掘鹤壁刘庄遗址。
- 7~12月　李素婷、李一丕发掘荥阳关帝庙遗址，发现商代晚期大批房址、墓葬、灰坑、灰沟、水井、陶窑、祭祀坑等遗迹。
- 8月　秦文生应邀参加西藏萨迦寺考古现场会。
- 8月　张志清、赵新平应邀参加山东大学东方考古中心举办的"2006年山东威海商文明国际学术研讨会"，作《辉县孟庄遗址夏代墓葬及其相关问题》大会发

- 8~11 月　我所与日本九州大学继续进行郑韩故城出土人骨的体质人类学合作研究。
- 8~12 月　刘海旺、朱汝生发掘延津沙门城址。
- 8~12 月　赵文军发掘安阳相州窑址，发现灰坑、灰沟、井等遗迹，出土瓷器 900 余件。
- 9 月　曹桂岑、王龙正赴陕西省西安市参加西北大学考古专业成立五十周年学术研讨会，王龙正提交论文《金文"氏"字及其相关称谓》。
- 9 月　刘海旺赴北京科技大学参加第六届国际冶金史会议，作《重庆丰都庙背后炼锌遗址》英文发言。
- 9 月　《新郑郑国祭祀遗址》由大象出版社出版。
- 9 月　《三门峡庙底沟唐宋墓葬》由大象出版社出版。
- 9~12 月　魏兴涛发掘灵宝底董遗址。
- 10 月　蔡全法参加在云南大理民族学院召开的中国少数民族科学技术史国际学术讨论会，提交论文《新郑中行遗址韩国铸造技术研究》。
- 10 月　杨育彬、蔡全法参加山西省考古研究所侯马工作站建站 50 周年暨三晋文化学术讨论会，蔡全法作《郑、晋两国青铜铸造技术对比研究》学术报告。
- 10 月　蔡全法、王龙正参加河南省炎黄文化研究会与西平炎黄文化研究会在西平举办的西平嫘祖文化研讨会，分别提交论文《从西平董桥遗址看西陵氏族之兴起》、《嫘祖发明蚕丝织品的历史贡献》。
- 10 月　陈彦堂赴西安参加"汉长安城考古 50 年与汉代考古学国际学术研讨会"。
- 10 月　魏兴涛参加在山西夏县召开的纪念西阴遗址发掘 80 周年国际学术研讨会。
- 10 月　赵世纲、赵志文参加由焦作市政协举办的"焦作陶瓷研讨会"，赵世纲在会上宣读论文《焦作出土陶器中的乐舞与杂剧艺术》；赵志文作《修武当阳峪瓷窑遗址考古重要收获》演讲。
- 10 月　郝本性在大连参加第四届中国箸文化学术研讨会，宣读《箸文化与博物馆》论文。
- 10 月　在河南省科学技术史学会第四届理事会暨理事换届会议上，孙新民当选为理事长，张志清当选为副理事长兼秘书长，郝本性作为副会长兼秘书长，在会上作了第三届理事会工作报告。

● 10~12月 马俊才发掘新郑胡庄墓地，发现两周墓葬58座、西汉墓葬15座、大型陪葬坑1个。

● 11月 杨育彬在江苏南京参加夏商周断代工程"西周王年研究（繁本）审稿会"。

● 11月 孙新民、赵青云、衡云花参加中国古陶瓷学会2006年南京年会暨中国青瓷学术研讨会，孙新民在中国古陶瓷学会第四届理事会换届选举中当选中国古陶瓷学会副会长。

● 11月 方燕明赴合肥参加江淮地区文明化进程国际学术研讨会，提交论文《登封王城岗遗址聚落形态再考察》。

● 11月 李占扬赴福建参加"中国古脊椎动物第10届年会、中国第四纪古人类——旧石器考古专业委员会首届年会"，作《许昌灵井旧石器时代晚期遗址出土的动物骨骼研究》的学术报告，并当选为中国第四纪古人类——旧石器考古专业委员会委员。

● 11月 刘海旺赴中国社会科学院参加"中国社会科学院国际学术论坛：简帛学论坛"，作大会报告《河南省内黄县三杨庄汉代聚落遗址》，提交论文《新发现的河南内黄三杨庄汉代遗址性质初探》。

● 11月 秦文生、朱庆伟、黄克映、马新民应邀赴日本奈良国立文化财研究所进行学术交流。

● 11月 张志清应邀赴英国进行学术交流。

● 11月 孙新民应邀参加了在深圳市举办的"钧官窑学术研讨会"。

● 12月 贾连敏任副所长。

● 12月 秦曙光、赵志文应邀赴台北故宫博物院参加"北宋汝窑特展"布展，并进行相关学术交流。

● 12月 胡永庆、樊温泉被评为文博研究馆员，郭培育、潘伟斌被评为文博副研究馆员。

● 本年 贾连敏、曾晓敏在郑州商城配合河南瑞奇房地产有限公司"郑州纬一路1号院"住宅小区工程、工人新村第一小学综合教学楼工程、黄河水利委员会水利科学研究院学术交流中心楼工程、河南省水利第一工程局商住楼工程、黄河水利委员会黄河医院门诊楼工程、龙宇房地产有限公司商住楼工程进行考古发掘。

● 本年 樊温泉、朱树政在新郑郑韩故城配合众康公寓工程、文建置业工程、新郑监狱工程、西亚斯学院建设工程等进行考古发掘。

● 本年 方燕明、马萧林、赵新平分别承担"十一五"国家科技支撑项目——《中华文明探源工程(二)》子课题"颍河中上游流域聚落群综合研究"、"灵宝铸鼎原聚落形态研究"和"3500BC-1500BC河南家畜研究"、"郑州西山城聚落形态研究"。

● 本年 内黄三杨庄遗址、鹤壁刘庄遗址获2005年度全国十大考古新发现。河南省文化厅予以表彰,我所荣立集体二等功,孙新民、秦曙光、刘海旺、赵新平荣立个人二等功,秦文生、张志清、韩朝会、朱汝生荣立个人三等功。

● 本年 在2003年~2004年度国家文物局田野考古奖评选当中,我所参与发掘的安阳殷墟遗址、魏兴涛主持发掘的平顶山蒲城店遗址荣获二等奖,马萧林主持发掘的灵宝西坡遗址荣获三等奖。

● 本年 在夏鼐考古学研究成果奖评选中,安金槐主编的《郑州商城》获二等奖,张居中主编的《舞阳贾湖》获三等奖,张志清主编的《鹿邑太清宫长子口墓》和宋国定主编的《新蔡葛陵楚墓》获提名奖。

● 本年 孙新民荣获"全国五一劳动奖章"。

● 本年 秦文生被中共河南省委、河南省人民政府命名为"河南省优秀专家"。

● 本年 郭培育主编的《河南出土石刻史地记》获河南省社科联2005年度社科优秀成果二等奖。

● 本年 《华夏考古》荣获河南省一级期刊和二十佳期刊。

岁月记忆

2007年

- 1月　孙新民、郭木森应邀赴日本参加大阪市立陶瓷美术馆组织的"张公巷窑国际学术研讨会",分别作"汝州张公巷的发现与认识"、"汝窑与张公巷窑比较研究"的讲演。

- 1月　方燕明在北京参加2006年中国考古新发现报告会和中华文明探源工程(一)成果报告会,在会上作"王城岗遗址的年代、布局及周围地区的聚落形态"报告。

- 1月　李一丕赴北京参加国家文物局第二届电子审批系统培训班学习。

- 1~5月　郭培育继续发掘焦作聂城寨遗址。

- 2月　孙新民应邀赴台湾参加台北故宫博物院举办的"开创典范——北宋的艺术与文化学术研讨会",宣读论文《汝窑的发现与研究》。

- 2月　马萧林应邀出席香港历史博物馆"礼仪之邦——河南夏商周文物展"开幕式。

- 2月　楚小龙赴日本九州大学进行学术交流。

- 3月　郭木森、马晓建应台湾鸿禧美术馆的邀请,赴台北进行学术交流。

- 4月　郝本性在郑州参加中国文物学会青铜器专业委员会成立大会。

- 4月　曹桂岑、方燕明赴宁陵参加"葛天氏与吕坤思想学术研讨会",分别提交论文《葛天氏考》、《葛天氏与夏文化研究》。

- 4月　马萧林应邀参加在美国奥斯汀举办的2007年度美国(北美)考古学年会。

- 4月　陈家昌参加在西安举办的中日韩合作丝绸之路沿线文物保护修复技术培训班。

- 5~8月　赵文军发掘叶县前古城遗址和前古城墓群。

- 6月　马萧林应邀担任吉林大学边疆考古研究中心博士学位论文答辩委员会委员。

- 6月　马萧林应邀参加广东东莞蚝岗遗址博物馆开馆典礼。

- 6月　方燕明应邀担任北京大学考古文博学院博士学位论文答辩委员会委员。

- 6~12月　郭木森发掘宝丰解庄遗址。

- 6~12月　李占扬发掘许昌灵井旧石器时代遗址。

- 7月　孙新民、陈彦堂随河南省文物局代表团赴美国进行学术交流。

- 7月　张志清应邀赴北京参加"文物出版社建社50周年学术讨论会"。
- 7月　由河南省文物局主办、我所承办的"动物考古国际学术研讨会暨《华夏考古》创刊20周年座谈会"在郑州召开,我所10余名业务人员与会。
- 7月　李素婷赴长春参加"2007吉林大学考古国际学术论坛——女考古学家的思考与实践"。
- 2~9月　刘海旺、朱汝生继续发掘延津沙门城址。
- 8月　曹桂岑应邀参加"2007年濮阳龙文化节",提交论文《西水坡蚌图释义》。
- 8月　李占扬赴俄罗斯参加"欧亚旧石器文化的交流与迁移国际学术讨论会",作"中国河南许昌灵井旧石器时代遗址考古发掘与研究"学术报告。
- 8月　李素婷赴呼和浩特参加内蒙古自治区文物局等单位主办的"草原文明探源考古学研究国际学术研讨会"。
- 8月　张志清、赵新平应邀参加在呼和浩特举办的"中国大遗址保护学术讨论会"。
- 9月　马萧林应邀赴芬兰、瑞典、挪威、丹麦等国家进行学术交流。
- 8~10月　韩朝会继续发掘方城平高台遗址。
- 9月　方燕明应邀赴奥地利、德国、卢森堡、法国进行学术考察访问。
- 9月　陈家昌赴南京参加"中国文物保护技术协会第五次全国代表大会"及"中国文物保护技术协会第五次学术年会"。
- 9月　郝本性、杨育彬、杨肇清、曹桂岑、赵世纲、蔡全法赴新郑参加"裴李岗文化发现30周年学术研讨会",分别提交论文《1975年新郑唐户遗址调查收获漫谈》、《裴李岗文化的发现及其相关问题》、《裴李岗聚落研究》、《裴李岗文化是中原新石器时代早期文化》、《裴李岗文化在中华文明形成中的地位》、《裴李岗文化聚落研究》。
- 9月　樊温泉、陈彦堂应邀赴韩国庆南考古研究所进行学术交流,樊温泉作"中国郑韩故城及近年来的发现与研究"的演讲。
- 9月　《登封王城岗考古发现与研究》由大象出版社出版。
- 9~12月　赵新平发掘淅川马岭遗址,发现了丰富的仰韶时代、二里头文化、汉代文化遗存。
- 10月　郝本性应邀参加"湖南出土商周青铜器学术研讨会",宣读《湘江流域殷周青铜器窖藏原因试探》的论文。

- 10月 赵青云应邀参加在开封举办的"中国收藏文化论坛"。
- 10月 曹桂岑应邀参加在湖北随州举办的"炎帝神农文化节"。
- 10月 贾连敏、赵志文、李秀萍应邀赴日本进行学术交流,在奈良文化财研究所作《河南近年考古新发现》、《河南巩义黄冶·白河窑址2005、2006年发掘成果报告》的演讲。
- 10月 马萧林、方燕明参加在中国社会科学院召开的"中华文明探源工程(二)"2007年度工作会和2007古代文明研究国际论坛。
- 10月 李占扬参加河南省委宣传部和河南省委党校举办的"河南省首届四个一批人才培训班"。
- 10月 陈彦堂参加在西安召开的"丝绸之路申报世界文化遗产国际学术研讨会"。
- 10~12月 杨文胜、蒋中华发掘淅川水田营遗址。
- 10~12月 楚小龙、李胜利发掘淅川贾沟遗址。
- 11月 魏周兴任党总支书记、副所长。
- 11月 《郑韩故城兴弘花园与热电厂墓地》由文物出版社出版。
- 11月 孙新民赴武汉参加"湖北省博物馆新馆开馆庆典暨考古所长论坛",作"河南省南水北调工程中的文物保护与课题研究"发言。
- 11月 孙新民赴北京参加"2006—2007年度全国考古工作汇报会"。
- 11月 孙新民、赵青云、郭木森赴昆明参加中国古陶瓷学会举办的"云南青花暨边疆地区青花学术研讨会"。
- 11月 马萧林获得美国学术委员会鲁斯基金资助,赴美国密歇根大学从事访问研究。
- 11月 陈家昌参加了在韩国首尔举行的东亚文化遗产保护国际研讨会。
- 11月 陈彦堂参加在洛阳召开的"洛阳汉魏陵墓研究专家座谈会"。
- 12月 《发现与解读——河南考古新发现》由岭南美术出版社出版。
- 12月 由楚文化研究会主办、我所和平顶山市文物局承办的"湘鄂豫皖楚文化研究会第十次年会"在平顶山召开,我所20余名业务人员与会。杨肇清、曹桂岑、赵世纲、蔡全法、贾连敏、樊温泉、马俊才、王蔚波、赵宏和赵文军分别提交论文《叶县旧县四号墓研究》、《春秋早期楚国最早设县及其影响》、《蔡国有铭铜器分析》、《许、楚文化关系初探》、《新蔡卜筮祭祷简综论》、《桐柏月河墓地的年代与布局》、《上蔡郭庄楚墓》、《河南出土楚国兵器浅析》、《叶县古城遗址发掘主要收获》。

- 12月　郝本性、杨育彬、杨肇清、赵世纲、蔡全法、樊温泉、马俊才等参加河南博物院建院八十周年暨"两周列国文化学术研讨会",提交论文《辉县甲乙墓时代及墓主人研究》、《简述灵宝地区是我国文明起源的核心之地》、《裴李岗文化人口问题探索》、《新郑华阳故城布局、性质及年代》、《中原地区古代马面的研究》、《上蔡周代墓地考古重大发现》等。方燕明参加河南博物院建院80周年庆典暨《中原文物》创刊30周年座谈会,在会上作"关于如何办好学术期刊的思考"发言。
- 12月　郝本性赴武昌参加"张正明先生八十诞辰暨学术研究座谈会",作《张正明先生楚文化、楚史研究的学术贡献》的发言。
- 12月　马俊才应邀到湖北省鄂州博物馆观摩商代铜器浇注全流程考古模拟试验,进行相关学术交流探讨。
- 12月　方燕明被评为文博研究馆员。
- 本年　潘伟斌等继续发掘安阳固岸墓地,发掘北朝墓葬140余座。
- 本年　赵清继续发掘荥阳丁楼遗址,发现了丰富的商代中晚期和西周早期文化遗存。
- 本年　李素婷、李一丕继续发掘荥阳关帝庙遗址。
- 本年　马俊才继续发掘新郑胡庄墓地,清理2座战国晚期韩国王陵级大墓。
- 本年　王龙正、王立彬继续发掘叶县文集遗址。
- 本年　贾连敏、韩朝会、曾晓敏在郑州商城配合河南龙宇房地产开发有限公司"紫荆山国际大厦"工程、河南裕鸿置业有限公司"裕鸿商业广场"工程、金水区房管局"住房楼"工程、黄河中心医院综合楼工程等进行考古发掘。
- 本年　樊温泉、朱树政在新郑郑韩故城配合华联小区工程、龙湖镇金岸管柱厂建设、郑州国棉一厂和二厂新厂区、晟邦置业"领秀城"工程、新郑市检察院建设工程、黄帝故里中学建设等进行考古发掘。
- 本年　《平顶山蒲城店城址》获国家社科基金资助项目。
- 本年　马萧林主持的灵宝西坡遗址发掘项目获"全国十大考古新发现"。
- 本年　赵新平主持的鹤壁刘庄遗址、李素婷主持的荥阳关帝庙遗址荣获国家文物局2006-2007年度田野考古质量三等奖。
- 本年　蔡全法主编的《新郑郑国祭祀遗址》获河南省社科优秀成果二等奖。
- 本年　马萧林荣获2006年度"河南省学术技术带头人",并入选全省宣传文化系统第二批"四个一批"人才。

2008年

- 1月　孙新民、刘海旺赴广州参加我所与广东省博物馆共同承办的《发现与解读——河南考古新发现展》开幕式,胡永庆、衡云花、王丽、韩越分别参加布展和撤展。

- 1月　李占扬赴北京参加"许昌人发现与研究专家学术研讨会"和"许昌人发现新闻发布会"。

- 1月　胡永庆、衡云花赴北京参加国家文物局举办的"全国长城资源调查专项工作会议"。

- 2~8月　潘伟斌等继续发掘安阳固岸墓地。

- 2~8月　李素婷等继续发掘荥阳关帝庙遗址。

- 3月　马萧林应邀在美国密西根大学人类学系作"中原复杂社会的起源"的学术报告。

- 3月　马萧林参加在加拿大温哥华举行的"第3届美洲考古学年会",作"牛骨与骨簪:三门峡李家窑遗址出土骨料研究"学术报告。

- 3月　张志清、方燕明、赵新平应香港康乐及文化事务署古物古迹办事处邀请,赴香港完成香港西贡沙下遗址发掘报告并作学术交流。

- 4月　杨肇清、蔡全法应邀参加由黄河文化研究会主办的内黄"第二届颛顼、帝喾与中华文明学术研讨会",分别提交论文《简述颛顼、帝喾二帝与中华文明》、《颛顼时代传承脉络与氏族文化关系》。

- 4月　赵青云应云南省收藏家协会邀请,参加了对云南地区遭受冻雨影响的地区进行义务文物鉴定活动。

- 4月　孙新民赴浙江德清参加"瓷之源——德清窑原始瓷学术研讨会",提交论文《河南地区原始瓷器的发现与初步研究》。

- 4月　魏周兴赴广州参加西汉南越王墓博物馆举办的"青铜时代——河南夏商周文物展",并作学术交流。

- 4月　马萧林应邀分别在美国哈佛大学人类学系、波士顿大学考古系、俄勒冈大学人类学系作"仰韶时期的房屋结构演变与聚落组织"、"对中国古代猪的新认识:现代野猪组合研究启示"、"仰韶文化复杂社会起源研究"等学术报告。

- 4月　《颍河文明——颍河上游考古调查、试掘与研究》由大象出版社出版。

- 5月　《禹州钧台窑》由大象出版社出版。

大事记

- 5月　杨肇清应邀参加郑州文物考古研究院挂牌仪式与嵩山文化圈学术研讨会。
- 5月　贾连敏赴英国进行学术交流。
- 5月　李占扬应邀参加"安徽繁昌古人类遗址发掘十周年国际学术研讨会"，作"灵井许昌人遗址发掘与研究"的演讲。
- 5月　方燕明在北京参加国际博物馆发展论坛暨中国博物馆学会传媒专业委员会成立大会。
- 5月　方燕明应邀担任中国社会科学院研究生院硕士学位论文同行评阅专家。
- 5月　杨文胜、楚小龙、杨树刚赴荆州参加国家文物局举办的"2008年度田野考古领队培训班"，获得个人考古领队资质。
- 5~12月　梁发伟发掘淅川龙山岗遗址。
- 6月　赵青云应中国殷商文化学会和广东省文化厅的邀请，出席在广州举办的"盛世收藏、鉴定与市场"高层论坛。
- 6月　魏周兴赴南非参加纪念中南建交十周年"华夏文明瑰宝展"，并作学术交流。
- 6月　马俊才在《大河报》大河论坛作"郭庄楚墓揭秘"专题讲座。
- 6月　赵文军在《大河报》大观园讲坛作"安阳相州窑考古新发现"专题讲座。
- 6~12月　赵新平发掘濮阳戚城遗址，发现并确认了东周戚城之下叠压的龙山文化城址。
- 7月　杨育彬、杨肇清、曹桂岑、蔡全法、孙新民、张志清、贾连敏、方燕明、赵新平、魏兴涛、李素婷、杨树刚、楚小龙等在郑州参加"早期夏文化学术讨论会"，提交学术论文《关于早期夏文化的探讨》、《略论早期夏代文化》、《从王城岗大城的发现证明龙山文化晚期已进入夏代》、《夏早期都邑"阳城"与"阳翟"》。
- 7月　杨树刚赴北京参加"全国长城资源调查报告编写体例研讨会"。
- 7~9月　郭木森在宝丰良基王朝小区发掘裴李岗文化遗址。
- 8月　曹桂岑、胡永庆、衡云花、杨树刚、李一丕赴南召参加河南省文物局举办的"河南省长城资源调查培训班"，曹桂岑等参与授课。
- 8月　蔡全法参加由中国科学院上海硅酸盐研究所中国古陶瓷研究中心召开的"中华文明探源研究第二阶段研究成果报告会"，作"新密古城寨新石器时代

陶器烧造技术与工艺"的发言。

● 8月　赵文军为北京大学考古文博学院举办的"全国古陶瓷鉴定班"学员来我省考察古瓷窑址进行辅导。

● 8~12月　黄克映发掘淇县卫国故城制骨作坊遗址。

● 9月　《新安荒坡——黄河小浪底水库考古报告》由大象出版社出版。

● 9月　杨育彬赴无锡参加"无锡阖闾城遗址全国考古专家讨论会",在大会上发言,并被聘为无锡阖闾城遗址保护规划建设顾问。

● 9月　郝本性、杨育彬、蔡全法、樊温泉、马俊才赴新郑参加"郑韩故城与溱洧水研讨会",分别作《郑韩故城与溱洧水几个问题的探讨》、《郑韩故城始建年代与溱洧水的关系》、《从郑文化的形成看郑居新郑之始》、《郑韩故城始建考》学术演讲。

● 9月　魏周兴、朱庆伟应邀赴北京参加首都博物馆举办的奥运特展"中华文明瑰宝展"相关活动。

● 9月　马萧林参加河南省委宣传部组织的"全省宣传文化系统'四个一批'人才"第二期培训班学习。

● 9月　《宝丰清凉寺汝窑》由大象出版社出版。

● 9月　王蔚波赴呼和浩特参加"全国第九届科技考古学术讨论会",提交论文《河南唐三彩四神的艺术风格及其相关问题》。

● 9~12月　韩朝会继续发掘方城平高台遗址。

● 秋　杨树刚、李一丕、衡云花、郭亮调查楚长城。

● 10月　杨育彬、孙新民、张志清赴北京参加中国考古学会第十一届年会,提交论文《改革开放三十年的河南考古》、《三十年来中国瓷器考古的进展》,孙新民、张志清分别当选为中国考古学会常务理事、理事。

● 10月　孙新民、方燕明参加国家新闻出版署教育培训中心举办的河南社科期刊主编岗位培训班,顺利结业。

● 10月　蔡全法应邀参加"禹州市大禹文化之乡论坛",作《大禹、阳翟与钧台》的发言。

● 10月　孙新民率团赴日本奈良出席了"黄冶窑考古新发现展"开幕式,在奈良文化财研究所孙新民、郭木森分别作《巩义黄冶窑与其他唐三彩窑的异同》、《河南巩义黄冶窑的发掘与初步研究》的演讲,郭培育、王蔚波、孙建国、郭移宏、郭民卿随团交流。

大事记

- 10月　马萧林、方燕明、辛革赴西安参加"陕西省考古研究院成立五十周年庆典暨考古文博期刊高峰论坛"。方燕明作《关于如何办好学术期刊的思考》的发言。
- 10月　马萧林应邀与中国科技大学、澳大利亚拉筹伯大学联合培养科技考古博士研究生。
- 10月　郝本性、李素婷赴安阳参加"中国社会科学院国学论坛：殷墟科学发掘八十周年学术研讨会"。
- 10~12月　李辉发掘长葛故城遗址。
- 10~12月　郭培育发掘漯河付庄遗址。
- 11月　河南省文物局副局长李玉东陪同王全书主席等领导视察我所文物标本室。
- 11月　赵青云、孙新民、赵文军赴泉州参加"中国古陶瓷学会2008年福建泉州年会暨中国古代外销瓷学术讨论会"，孙新民在闭幕式上致闭幕词。
- 11月　蔡全法应邀参加由新郑市政府、新郑黄帝故里文化研究会组织召开的"具茨山岩刻符号考古调查现场会"。
- 11月　张志清赴合肥参加"安徽省文物考古研究所成立五十周年庆典暨江淮文明学术讨论会"。
- 11月　马萧林赴北京参加中国国家博物馆举办的"古代中国陈列"大纲研讨会。
- 11月　赵新平赴北京参加国家文物局举办的《田野考古工作规程》（修订）稿研讨会。
- 11月　郭木森赴扬州参加"2008年唐青花瓷鉴赏学术研讨会"，提交论文《从巩义黄冶窑看早期青花瓷的发展轨迹》。
- 12月　河南省人大副主任王菊梅视察我所。
- 12月　曹桂岑赴杭州参加"浙江良渚文化的文明进程学术研讨会"，提交论文《论良渚文化古城的社会性质》。
- 12月　马萧林、李占扬被山东大学东方考古研究中心聘为兼职教授、研究生导师，并分别作题为《中国古代葬猪现象考古研究新视角——现代野猪群组研究的启示》、《许昌人的发现与研究》的学术报告。
- 12月　贾连敏应邀赴湖北荆州参加"荆州博物馆建馆50周年庆典"。
- 12月　姜涛、李秀萍赴浙江绍兴参加"中国玉文化名家论坛"研讨会，提

岁月记忆

交论文《虢国墓地出土玉器的认识与研究》、《从"天子佩白玉"谈起》。

- 12月　李占扬应邀出席许昌学院学术报告会，主讲《许昌人的发现与研究》。

- 12月　王龙正赴浙江宁海参加"中华应氏研讨会"，提交论文《古应国世系考》。

- 12月　刘海旺赴广州参加"西汉南越国考古与汉文化国际学术研讨会"，提交论文《由三杨庄遗址的发现试谈汉代"田宅"空间分布关系》。

- 12月　陈家昌赴北京参加由国家文物局主办的"出土饱水竹木漆器及简牍保护学术研讨会"。

- 12月　马萧林、王龙正、魏兴涛被评为文博研究馆员，郭木森被评为文博副研究馆员。

- 本年　马俊才继续发掘新郑胡庄墓地。

- 本年　王龙正、王立彬等继续发掘叶县文集遗址。

- 本年　杨文胜、蒋中华继续发掘淅川水田营遗址。

- 本年　楚小龙、李胜利继续发掘淅川贾沟遗址。

- 本年　赵新平与武汉大学考古系合作，继续发掘淅川马岭遗址，发现了丰富的仰韶时代、二里头文化、东周、汉代等文化遗存。

- 本年　贾连敏、曾晓敏在郑州商城配合管城区政府综合改造建设指挥部文化馆、档案馆项目工程，郑州丹尼斯百货有限公司设备机房项目工程等进行考古发掘。

- 本年　樊温泉、朱树政在新郑郑韩故城配合新郑市华联房地产开发有限公司翠园小区人和家苑基建工地等进行考古发掘。

- 本年　李占扬继续发掘灵井旧石器时代遗址，发现"许昌人"。

- 本年　刘海旺、朱汝生继续发掘内黄三杨庄汉代聚落遗址。

- 本年　《荥阳关帝庙遗址》获国家社科基金资助项目。

- 本年　李占扬主持的许昌灵井旧石器时代遗址、李素婷主持的荥阳关帝庙遗址、潘伟斌主持的安阳固岸北朝墓地获2007年度"全国十大考古新发现"。

- 本年　马萧林等译著《中国新石器时代——迈向早期国家之路》获2008年度全国文博考古最佳图书。

- 本年　方燕明主编的《登封王城岗考古发现与研究》获2008年度河南省社科优秀成果一等奖和河南省优秀图书一等奖，马萧林等译著《考古遗址出土动物骨骼测量指南》获河南省社科优秀成果三等奖。

● 本年　李占扬当选《河南商报》评选的"2008影响河南十大社会公民"。

岁月记忆

2009年

- 1月　李占扬调查并发掘栾川蝙蝠洞旧石器时代遗址。
- 1月　赵新平任副所长。
- 1月　《汝窑与张公巷窑出土瓷器》由科学出版社出版。
- 1~7月　黄克映继续发掘淇县卫国故城制骨作坊遗址。
- 1~7月　郭培育发掘确山丁塘和吕庄遗址。
- 1~9月　杨文胜发掘水田营墓地。
- 1~9月　马俊才、张明力继续发掘新郑胡庄墓地。
- 2~12月　韩朝会发掘淇县宋庄墓地。
- 2月　河南省副省长张大卫视察内黄三杨庄遗址。
- 春　李辉发掘长葛十二连城遗址。
- 春　王龙正发掘信阳魏庄遗址。
- 3月　杨肇清、蔡全法应邀参加中国黄帝文化研究会和新郑市人民政府主办的"已丑年黄帝文化国际论坛",分别作"略论黄帝活动的区域及其相关的问题"、"中原文明的神奇画卷——具茨山岩画探秘"的发言。
- 3月　赵青云应邀赴印度尼西亚万隆市参加有关瓷器学术研讨会。
- 3月　王蔚波应邀赴西安参加"第二届秦俑及彩绘文物研究国际学术研讨会",提交论文《河南汉代彩绘陶俑艺术研究》。
- 4月　马萧林应澳大利亚国立大学中国研究学院的邀请赴澳大利亚悉尼、布里斯班、墨尔本等地开展学术交流。
- 4月　王龙正应邀赴成都参加四川大学"纪念徐中舒先生诞辰110周年国际学术研讨会",提交论文《应侯见工鼎与西周征三苗》。
- 4月　马俊才应邀参加"山西·曲沃曲村－天马遗址发掘三十周年晋文化论坛",提交论文《郑韩两都平面布局探讨》。
- 4月　孙新民应邀赴京参加"元青花学术研讨会",并致大会闭幕词。
- 4~8月　郭木森发掘巩义北窑湾墓地。
- 5月　李占扬赴北京大学参加"中国华北地区旧、新石器过渡学术讨论会",作"灵井'许昌人'遗址上文化层考古新收获"学术报告。
- 5月　孙新民随河南省文物局组织的代表团赴南非进行了学术交流。
- 5月　李占扬被中国科学院古脊椎动物与古人类研究所聘为博士论文答辩委员会委员。

大事记

- 5~9月　赵文军发掘巩义宋陵周王墓。
- 5~10月　赵文军发掘巩义仓西墓地。
- 6月　河南省委书记徐光春视察内黄三杨庄遗址。
- 6月　《三门峡南交口》由科学出版社出版。
- 6月　马萧林应邀参加国家文物局在浙江杭州举办的"大遗址保护良渚论坛"。
- 6~9月　李一丕、衡云花发掘舞钢平岭长城遗址。
- 7月　孙新民、张志清、贾连敏、赵新平、楚小龙、杨树刚、武志江赴鹤壁、石家庄参加"先商文化学术研讨会"。赵新平提交论文《先商文化与下七垣文化的命名问题》。
- 7月　刘海旺应邀赴京参加"国际生铁冶炼技术研讨会",提交论文《河南汉代生铁冶炼技术》。
- 8月　国家文物局副局长张柏视察内黄三杨庄遗址。
- 8~12月　王龙正发掘汝州李楼遗址。
- 9月　《巩义白河窑考古新发现》由大象出版社出版。
- 9月　孙新民、郭木森应邀参加了北京保利艺术博物馆举办的"河南新出宋金名窑瓷器展"专家座谈会,孙新民主持会议。
- 9月　贾连敏、李占扬赴南非出席"中原古代文明图片展"开幕式,并作学术考察。
- 9月　魏周兴、谢巍、郭培智、韩朝会等赴日本奈良文化财研究所进行访问和学术交流。
- 9月　赵新平、陈家昌参加"河南省文物局意大利文物保护培训学习班",赴意大利进行学习交流。
- 9月　张志清、樊温泉应邀赴甘肃临洮参加了"中国甘肃马家窑彩陶文化研讨会",提交论文《庙底沟文化彩陶与马家窑文化彩陶的渊源和关系》。
- 9~12月　武志江发掘郑州站马屯遗址。
- 9~12月　方燕明发掘禹州瓦店遗址,发现大型环壕。
- 10月　杨肇清应邀参加"2009濮阳'龙文化与科学发展'学术讨论会",提交论文《略论濮阳西水坡蚌塑龙图与中国文明的起源》。
- 10月　杨肇清应邀参加"第八届河洛文化国际研讨会",提交论文《略论平顶山古文化兼述刘氏的先祖最早在鲁山》。

岁月记忆

- 10月　张志清、曹桂岑、赵世纲、王龙正、王蔚波、楚小龙应邀赴安徽淮南参加"湘鄂豫皖楚文化第九次年会",赵世纲、王龙正、王蔚波、楚小龙分别提交论文《競器与伊罗之戎》、《后应国时期楚国"方城之外"的政治、军事形势与文化融合》、《浅说河南出土楚国青铜兵器》、《淅川下寨遗址西周考古的新发现》。

- 10月　赵青云应邀出席商务部、四川省政府在成都市联合举办"西部地区世博会收藏文化论坛及新闻媒体联谊会",并在会上作"收藏与鉴赏"发言。

- 10月　李素婷应邀赴西安参加"秦俑博物馆开馆三十周年国际学术研讨会暨秦俑学第七届年会"。

- 10月　孙新民、贾连敏、赵青云、赵志文、郭木森、赵文军、衡云花、楚小龙在郑州参加中国古陶瓷学会等单位联合主办的"中国早期白瓷与白釉彩瓷专题学术研讨会"。赵志文、郭木森、赵文军分别作"巩义白河窑北魏白釉瓷器的发现与研究"、"黄冶窑白瓷阶段性研究成果"、"安阳相州窑考古发掘新收获"的发言,孙新民作大会学术总结。

- 10月　李占扬赴北京参加"纪念中国猿人第一头盖骨发现80周年国际学术讨论会",作"灵井'许昌人'遗址在东亚现代人起源的地位"学术报告。

- 10月　潘伟斌应邀赴苏州参加了"第二届东亚音乐考古论坛学术研讨会"。

- 11月　孙新民、张志清、赵新平、李素婷、马俊才、楚小龙、梁发伟在郑州参加"南水北调中线工程考古发现与研究学术研讨会"。赵新平、马俊才分别提交论文《刘庄下七垣文化墓地的埋葬制度》、《韩国陵寝制度管窥》。

- 11月　马萧林受国家留学基金委的资助,并应美国哈佛大学人类学系邀请,赴哈佛大学从事访问研究。

- 11月　郭移洪随省文物局组团参加了在西安举办的"全国首届文物保护博览会"。

- 12月　侯彦峰应邀赴北京参加了"第一届全国动物考古学研讨会",提交论文《郑韩故城遗址车马坑出土马的年龄、性别、身高研究及马骨疾病观察》。

- 12月　张志清、郝本性、蔡全法、方燕明、樊温泉、魏兴涛、李素婷、赵新平赴新密参加"中国聚落考古的理论与实践——纪念新砦遗址发掘三十周年学术研讨会"。蔡全法提交论文《新砦遗址与"黄台""启都"新论》。

- 12月　赵志文、李素婷被评为文博研究馆员,衡云花、王蔚波被评为文博副研究馆员。

大事记

- 本年　杨树刚、李一丕、衡云花、郭亮继续进行楚长城调查。
- 本年　赵新平继续发掘淅川马岭遗址。
- 本年　梁发伟、聂凡继续发掘淅川龙山岗遗址。
- 本年　楚小龙、李胜利继续发掘淅川下寨遗址。
- 本年　曾晓敏在郑州商城配合郑州亨利房地产开发有限公司亨利公寓工程、郑州市烟草专卖局南城区分局物业办公楼工程进行考古发掘。
- 本年　樊温泉、朱树政在新郑郑韩故城配合郑州市天成隔热材料有限公司、新郑市房管局经济适用房和廉租房、郑州市宏基房地产有限公司、新郑市后端湾居民住宅、新郑龙湖松杰机械厂、郑州龙湖卧龙游乐设备有限公司、河南正商置业有限公司、郑州芙煌食品有限公司、新郑市博物馆等基建工程进行考古发掘。
- 本年　李占扬继续发掘许昌灵井旧石器时代遗址。
- 本年　刘海旺、朱汝生继续发掘内黄三杨庄汉代聚落遗址。
- 本年　潘伟斌发掘安阳西高穴曹操高陵。
- 本年　《内黄三杨庄遗址》获国家社科基金重点资助项目。
- 本年　马俊才主持的新郑胡庄东周墓地发掘项目获2008年度"全国十大考古新发现",并荣获2008-2009年度国家文物局田野考古质量二等奖。
- 本年　张志清被国家人事部、文化部联合表彰为"全国文化系统先进工作者"。
- 本年　孙新民、张志清、马萧林、李占扬、李素婷、潘伟斌荣获河南省文化厅个人二等功。
- 本年　我所已故专家安金槐入选"感动中原双60人物"。

岁月记忆

2010年

- 1月 孙新民应邀赴深圳参加"中国红绿彩瓷器国际学术研讨会",作"河南地区出土红绿彩概述"发言。
- 1月 国家文物局童明康副局长视察安阳西高穴曹操高陵。
- 1~3月 马俊才、张明力继续发掘新郑胡庄墓地。
- 1~6月 王龙正等继续发掘汝州李楼遗址。
- 2~5月 韩朝会继续发掘淇县宋庄墓地,清理墓葬9座。
- 3月 孙新民、郭木森应邀赴日本大阪陶瓷美术馆参加"'汝窑青瓷之谜'国际学术研讨会",分别作"汝窑瓷器相关问题的探讨"、"汝州张公巷窑年代的相关研究"演讲。
- 3月 马萧林在美国哈佛大学、华盛顿大学、瓦萨学院等高校作学术报告。
- 3~5月 郭培育发掘漯河张烈庄遗址。
- 3~5月 李辉发掘项城市南顿故城。
- 3~6月 赵文军发掘巩义宋陵陪葬墓群。
- 3~12月 樊温泉、朱树政发掘李垌村东周墓葬104座。
- 4月 郝本性应邀赴台北历史语言研究院作访问学者,并作学术交流。
- 4月 姜涛应邀参加在北京举行的"世界著名博物馆藏中国古玉论坛"暨"《中国传世玉器全集》首发式"。
- 4月 杨育彬应邀赴新郑参加"2010年岩画与史前文明国际学术研讨会",提交学术论文。
- 4月 马萧林受聘河南大学历史文化学院兼职教授并作学术报告。
- 4月 我所与日本奈良国立文化财研究所签订合作研究许昌灵井细石器协议书。
- 4月 樊温泉、刘海旺应邀赴美参加美国第75届考古学年会,分别与美国学者合作进行大会发言"中国新郑西亚斯墓地出土人骨的综合研究报告——东周时期人群健康的差别及社会结构"、"Excavations at Sanyangzhuang: A Deeply Buried Han Dynasty Site in Henan Province"。
- 4月 刘海旺、朱汝生继续发掘内黄三杨庄汉代聚落遗址。
- 4月 《曹操墓真相》由科学出版社出版。
- 4~10月 马俊才发掘新郑端庄墓地。

大事记

- 5月　原国家领导人李瑞环同志视察安阳西高穴曹操高陵。
- 5月　河南省政府郭庚茂省长视察安阳西高穴曹操高陵。
- 5月　马俊才应邀赴侯马参加"晋国古都与区域性中心城市发展研讨会",作"'新田模式'与三晋都城"的主题发言。
- 5月　孙新民主持由北京艺术博物馆和本所共同主办的"当阳峪窑学术研讨会"并作总结发言,赵志文作"修武当阳峪窑址考古发掘主要收获"主题演讲。
- 5月　赵文军应邀参加"深圳第六届文博会暨中国汝窑研探会",提交论文《对汝州张公巷窑址的几点认识》。
- 5月　李素婷应邀赴加拿大英属哥伦比亚大学进行 LUCE/ACLS 基金项目《郑州地区商代人口动态》的研究工作。
- 5~11月　曾晓敏在郑州商城配合黄河水利委员会黄河中学教学楼、河南中医学院第一附属医院中医临床研究基地、黄河水利委员会水利科学研究院堤防中心实验室工程进行考古发掘。
- 6月　方燕明应邀赴南京博物院参加"'学术期刊·博物馆·文化遗产'"论坛暨《东南文化》创刊25周年纪念学术研讨会,作"学术期刊与文化遗产保护"的发言。
- 6月　蔡全法应邀赴银川参加"第三届贺兰山岩画艺术节暨国际岩画学术研讨会",提交论文《中原岩画的新发现与新思考》。
- 6月　马萧林参加国家文物局在江苏省苏州市举行的中国文化遗产日活动。
- 6月　马萧林、侯彦峰与来访的美国瓦萨学院人类学系主任安·派克泰教授开展合作研究,并在我所建立中国考古界第一个动物牙齿切片实验室。
- 6月　马萧林参加欧洲同学会在大连举行的"第二届全国留学归国人员代表人士学习中国特色社会主义理论研讨班"。
- 6月　杨文胜应邀赴重庆参加"长江三峡古文化学术研讨会暨中国先秦史学会第九届年会",提交论文《中原地区出土巴蜀青铜器研究》。
- 7月　《灵宝西坡墓地》由文物出版社出版。
- 7月　方燕明应邀赴广西桂林考察永福窑遗址,并在甑皮岩遗址博物馆作"颍河中上游聚落形态研究"的演讲。
- 7月　李占扬赴日本仙台东北大学、东京明治大学及奈良国立文化财研究所进行学术交流。

- 7月　姜涛、李秀萍应邀参加在内蒙古海拉尔举行的"海峡两岸三地2010海拉尔中国玉文化名家论坛"。
- 7~12月　王龙正发掘郏县黑庙汉墓群，清理秦汉墓葬190座。
- 8月　《永城黄土山与鄢城汉墓》由大象出版社出版。
- 8月　方燕明应邀赴内蒙古通辽参加"内蒙古扎鲁特旗南宝力皋吐遗址学术研讨会"，提交论文《南宝力皋吐遗址若干问题探讨》。
- 8月　马俊才应邀赴湖北松滋参加"《中国钱币》与货币文化研讨会"。
- 8月　王蔚波应邀赴呼和浩特参加"第十届全国科技考古学术讨论会"，提交论文。
- 8月　马萧林参加在法国巴黎举行的第十一届国际动物考古协会大会，当选国际动物考古协会理事。
- 8月　姜涛、李秀萍应邀参加在内蒙古赤峰召开的"中国玉文化传统与文明社会学术研讨会"，提交论文《虢国墓地及其所出红山玉器》。
- 8月　侯彦峰赴京参加"21世纪中国首届古脊椎动物与古人类学专业培训班"，获得结业证书。
- 8月　武志江发掘中牟前杨遗址。
- 8月　武志江发掘中牟小李庄遗址。
- 9月　蔡全法应邀在新郑参加"岩画与史前文明国际学术讨论会"，并作主题发言。
- 9月　郝本性、孙新民、张志清、赵新平、刘海旺、周立刚参加在内黄召开的"汉代城市与聚落考古暨汉文化国际学术研讨会"，张志清、刘海旺、周立刚分别向大会提交论文。
- 9月　姜涛、李秀萍应邀参加在香港艺术馆召开的"敏求精舍金喜志庆"学术会议。
- 9月　李占扬赴山东平邑参加中国古脊椎动物学会第十二次年会、中国古人类旧石器专业委员会第四次年会，并当选中国古脊椎动物学会理事。
- 9月　樊温泉参加在河南新郑召开的"2010岩画与史前文明国际学术研讨会"，并向大会提交论文《具茨山岩画的发现与研究》。
- 9月　孙新民赴北京参加由故宫博物院主办的"宋代官窑瓷器学术研讨会"，作"关于汝窑性质问题的探讨"讲演。
- 9月　李辉发掘淅川杨楼遗址。

大事记

- 10月　张志清应邀赴杭州参加中国考古学会主办的"大遗址保护论坛"，作"永城梁孝王陵的保护与利用"讲演。
- 10月　孙新民、赵志文、郭木森、赵文军、赵宏应邀赴河北省邯郸参加"中国古陶瓷学会2010年会暨磁州窑学术研讨会"。
- 10月　赵新平、李辉、王建民、王胜利应邀赴日本奈良文化财研究所进行学术交流。
- 10月　郝本性应邀赴安阳参加"第二届中国文字发展学术讨论会"。
- 10~12月，刘海旺、朱汝生发掘商丘南关大运河码头遗址。
- 11月　孔德超、贾付春任副所长。
- 11月　《曹操高陵考古发现与研究》由文物出版社出版。
- 11月　贾连敏、杨文胜、魏兴涛参加"第二届河南省文物局意大利文物保护培训学习班"，赴意大利进行学习交流。
- 11月　郝本性、张志清、潘伟斌应邀赴日本爱媛大学参加"三国志·魏的世界—曹操高陵的发掘与意义国际研讨会"，在会议上分别作主题演讲。
- 11月　马萧林应邀参加三门峡市在郑州举办的仰韶文化周活动并作学术报告。
- 11月　李占扬应邀到重庆师范大学作学术报告，听众雀跃，圆满成功。
- 11月　李辉发掘淅川尚庄遗址。
- 12月　孙新民、贾连敏、曾晓敏等在郑州参加"纪念郑州商代遗址发现60周年座谈会"。
- 12月　赵新平、刘海旺应邀赴重庆参加"第六届西部考古协作会暨'早期中国的文化交流与互动——以长江三峡库区为中心'学术研讨会"。
- 12月　杨育彬、方燕明、马俊才应邀参加在郑州举办的"郑州市考古研究院50周年院庆暨中原地区古城、古都与古国学术研讨会"，提交学术论文。
- 12月　孔德超、魏兴涛、杨树刚等赴北京首都博物馆参观"全国文物保护科技成果展"。
- 12月　方燕明应邀赴河南大学参加"河南华夏文化研究会成立大会暨学术研讨会"。
- 12月　黄克映、韩朝会被评为文博副研究馆员。
- 12月　杨文胜发掘淅川玉山岭楚墓。
- 12月　杨树刚、郭亮发掘方城大关口楚长城遗址。

岁月记忆

- 本年，李一丕、衡云花继续楚长城资源调查，主要对泌阳县象河关遗址、方城县大关口遗址、泌阳付庄古城遗址、叶县保安镇闯王寨遗址等进行了调查和试掘。
- 本年　武志江继续发掘郑州站马屯遗址。
- 本年　梁发伟、聂凡继续发掘淅川龙山岗遗址。
- 本年　楚小龙、李胜利、曹艳朋继续发掘淅川下寨遗址。
- 本年　樊温泉、朱树政在新郑郑韩故城配合新郑市房管局经济适用房和廉租房、河南省兴田置业有限公司亚龙湾项目、新郑新区发展投资有限责任公司中兴大道、中原华信商贸集团郑州华信学院新校区及商业建设项目、郑州华源玻璃制品有限公司新征基建地、新郑市开泰建设投资有限公司煤矿搬陷区、新郑市国瑞房地产开发有限公司国瑞城项目、河南鸽瑞复合材料有限公司新征建设用地、新郑市佳美刨花板制造有限公司建设用地、新郑市锦隆装饰材料有限公司新征用地、河南伟昊钢构工程有限公司新建车间、河南省远大钢构工程有限公司建设用地、郑州义兴彩印有限公司新征厂房用地、河南省新郑市第一高中新校区等基建工程进行考古发掘。
- 本年　李占扬继续发掘许昌灵井旧石器时代遗址。
- 本年　潘伟斌、周立刚继续发掘安阳西高穴曹操高陵，并对曹操高陵周围实施考古调查与勘探以探索陵园范围、布局等。
- 本年　武志江对黄国故城调查、勘探。
- 本年　《新郑韩王陵》获国家哲学社会科学基金重点资助项目；《罗山后李商代墓地》获国家哲学社会科学基金资助项目。
- 本年　我所再次荣获"河南省省级文明单位"、"河南省省级卫生先进单位"称号。
- 本年　魏兴涛主编的《三门峡南交口》获2009年度河南省社科优秀成果二等奖。
- 本年　马萧林入选人力资源与社会保障部公布的2009年"新世纪百千万人才工程"国家级人选。
- 本年　潘伟斌主持的安阳曹操高陵考古发掘项目获"全国十大考古新发现"。

2011年

- 1月 樊温泉、朱树政继续发掘李垌村东周墓葬。
- 1月 刘海旺、朱汝生继续发掘商丘南关大运河码头遗址。
- 1~4月 实施"信阳地区先秦城址考古学调查"项目，武志江分别在潢川黄国故城、信阳城阳城进行勘探，发现有大型夯土基址、灰沟等。
- 1~8月 赵志文发掘巩义市大坡墓地，清理汉代墓葬70座。
- 2~12月 周立刚在安阳西高穴村开展考古勘探，并发掘了西门豹祠遗址和曹操高陵陵园。
- 3月 杨文胜发掘淅川玉山岭贵族墓葬与车马坑。
- 3~6月 刘海旺、朱汝生继续对内黄三杨庄遗址进行勘探，发现汉代庭院遗存一处，汉代道路一条。
- 4月 孙新民参加河南省文物局代表团，赴英国、爱尔兰和土耳其进行了学术交流。
- 4~6月 杨文胜发掘淅川凤凰头、东沟长岭东周秦汉墓葬。
- 4~8月 郭木森、赵宏发掘宝丰清凉寺汝窑址，发现窑炉1座、澄泥池1个、砖砌六边形遗迹1处、灰坑16个和巨形玛瑙石一块等。
- 5月 魏兴涛入选全省宣传文化系统第三批"四个一批"人才。
- 5~6月 胡永庆随河南省文物局《中华文明之源》撤展组赴日本奈良国立博物馆撤展。
- 5~8月 李辉发掘长葛西刘村古墓群、西樊楼汉墓群、张史马古墓群。
- 6月 孙新民、赵志文、郭木森参加北京市艺术博物馆主办的巩义窑学术研讨会，孙新民作了《巩义窑考古发现与研究》学术报告，赵志文作了《巩义窑址考古发掘主要收获》学术报告，郭木森作了《巩义黄冶窑烧造工艺初步研究》学术报告。
- 6~7月 韩朝会发掘淇县大李庄商代墓地，清理墓葬19座。
- 7月 樊温泉、郭亮发掘新郑七里闫春秋战国墓地，清理墓葬110座，灰坑36个，水井19眼，马坑1座。
- 7月 方燕明应邀在陕西历史博物馆《历博讲坛》作"嵩山东南颍河流域文明化进程"公开演讲。
- 8月 魏兴涛参加北京联合大学主办的"早期中国学术研讨会"，并提交论文。

岁月记忆

- 8月　樊温泉、郭亮发掘郑韩故城仓城郑国贵族墓地,清理墓葬4座,灰坑8座,车马坑1座,马坑1座。
- 8月　我所与奥地利维也纳大学人类学系签订共同研究"许昌人"头骨化石的协议书。
- 8月　陈家昌参加在内蒙古自治区呼和浩特市召开的东亚文化遗产保护学会第二次学术研讨会。
- 8~9月　侯彦峰参加在奥地利萨尔茨堡大学举行的国际加工骨研究学会的第8次会议,并作了"实验重构中国河南安阳孝民屯遗址出土晚商卜骨的攻制工艺"学术发言。
- 9月　樊温泉、郭亮发掘新郑市郑老庄龙山文化遗址,并清理东周墓葬40座。
- 9月　武志江在北京参加中国科协举办的"尖端数字化技术应用国际学术研讨会"。
- 9~12月　赵文军参加发掘禹州闵庄瓷窑遗址,清理窑炉7座,作坊3座,墙1道,灰坑8个,井1个,灶1个。
- 9月　孙新民、贾连敏、方燕明、魏兴涛、楚小龙等参加"首届黄淮七省考古论坛"。方燕明在大会作"嵩山东南颍河中上游地区文明化进程"发言。
- 9月　曹桂岑、胡永庆、衡云花、楚小龙、李一丕参加在武汉举行的楚文化研究会第十次年会。
- 10月　方燕明主持禹州瓦店遗址获2009-2010年度国家文物局田野考古奖三等奖。
- 10月　辛革参加《江汉考古》创刊三十周年座谈会。
- 10月　孔德超、宋智生、王胜利、武志江赴日本奈良文化财研究所进行学术交流。
- 10~11月　赵志文、马俊才赴美国旧金山美中交流协会参加文物博物馆管理培训。
- 10~11月　郭木森、赵宏在浚县黄河故道发掘古文化遗址,出土瓷器27件,器形有碗、盘、碟、盏、盒、壶、水盂等。这批瓷器皆较精致,胎薄如纸,釉色润泽,釉白如雪,在豫北乃至河南地区所罕见。
- 11月　方燕明、魏兴涛、王蔚波等参加"仰韶和她的时代——纪念仰韶文化发现90周年庆祝大会与学术研讨会"。

大事记

- 11月　魏兴涛参加"中国考古学会第14次年会暨庆祝宿白先生90华诞学术研讨会"。
- 11月　辛革随国家文物局《华夏瑰宝》撤展组赴印度加尔各答国立图书馆撤展。
- 11月　孙新民、赵青云、赵文军赴浙江龙泉参加由中国古陶瓷学会主办的"中国古陶瓷学会2011年会暨龙泉青瓷学术研讨会",孙新民在中国古陶瓷学会第五届理事会上再次当选为副会长。
- 11~12月　魏周兴、李占扬参加在意大利罗马第二大学举办的文化遗产保护培训。
- 11~12月　武志江继续实施"信阳地区先秦城址考古学调查"项目,调查、勘探太子城。
- 11~12月　郭木森、赵宏发掘浚县黎阳仓遗址。
- 12月　孙新民、贾连敏等参加"河南省文物考古学会第五届会员代表大会",孙新民任执行会长,贾连敏任秘书长。
- 12月　魏兴涛参加陕西考古研究院主办的"《聚落与社会》学术研讨会",提交论文并作发言。
- 12月　辛革、马俊才被评为文博研究馆员,楚小龙、陈家昌被评为文博副研究馆员。
- 12月　孙新民应邀赴台湾参加由新北市莺歌陶瓷博物馆主办的"东亚青瓷学术论坛",在会上作"汝窑的烧制工艺与性质问题"发言。
- 本年　楚小龙、李胜利、曹艳朋继续发掘淅川下寨遗址,发现石家河文化时期灰坑33座,竖穴土坑墓18座。
- 本年　李占扬继续发掘灵井旧石器时代遗址,在遗址上部细石器遗存中发现了一批夹砂陶片。陶片主要以灰、黑色为多,以夹粗砂、蚌为主,结构松散,火候不高。
- 本年　梁发伟、聂凡继续对淅川龙山岗遗址进行考古勘探和发掘,发现堤防1处,房址36座,灰坑60个,沟9条,墓葬7座,瓮棺葬4个。
- 本年　杨树刚发掘郑州马良寨遗址。
- 本年　赵文军、马晓建发掘渑池朱城村墓群,清理22座墓葬。

2012年

- 2月　河南省政协副主席靳绥东、龚立群视察我所。
- 2月　郭木森、赵宏继续发掘浚县黎阳仓遗址。
- 3月　刘海旺、朱汝生继续发掘商丘南关大运河码头遗址。
- 3月　周立刚继续发掘安阳曹操高陵陵园。
- 3月　裴涛发掘临颍南姚堂遗址。
- 3月　梁法伟继续发掘淅川龙山岗遗址。
- 3月　楚小龙、李胜利、曹艳朋继续发掘淅川下寨遗址。
- 3月　周立刚发掘内黄白条河汉画像石墓。

大事记

大 事 记

"纪念郑州商城遗址发现60周年座谈会"在郑州召开

2008年7月"早期夏文化学术研讨会"开幕式现场

2004年日本奈良文化财研究所所长町田章先生一行考察巩义黄冶窑遗址发掘现场

岁月记忆

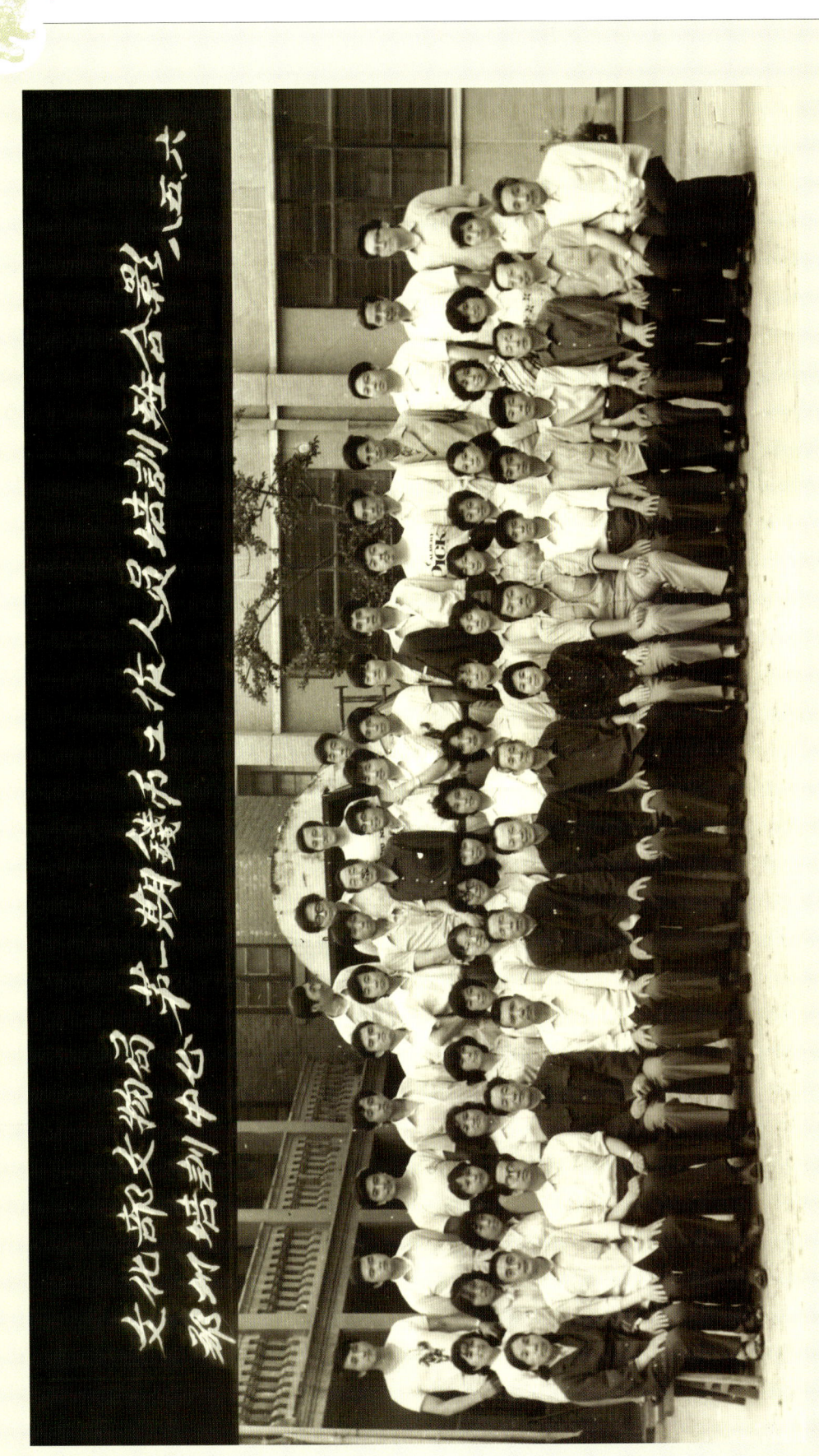

1985年文化部文物局郑州培训中心第一期古钱币培训班合影

2008年国家文物局在北京举行许昌灵井旧石器时代遗址许昌人发现新闻发布会

2008年日本奈良文化财研究所田辺征夫所长和我所孙新民所长为"黄冶窑考古新发现"开幕剪彩

岁月记忆

2010年3月我所孙新民所长与日本奈良文化财研究所田辺征夫所长签订合作研究协议书

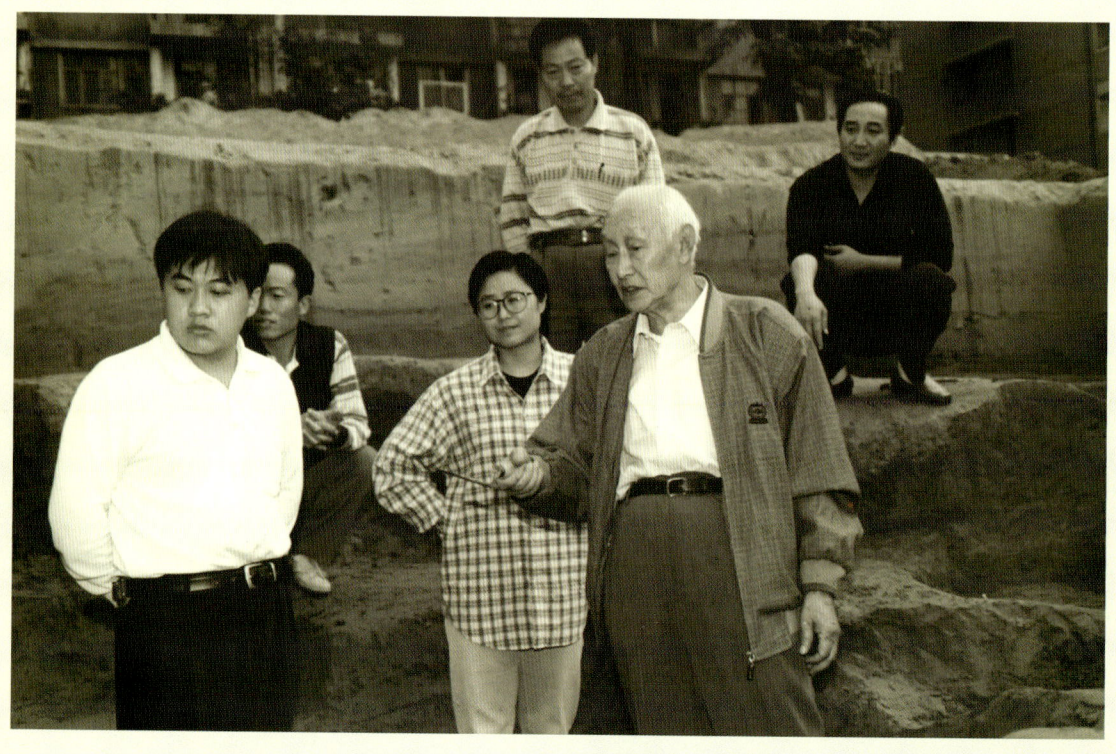

2000年春安金槐所长考察郑州商城发掘工地

大事记

2010年9月"汉代城市和聚落考古与汉文化国际学术研讨会"在河南内黄县举行

2009年7月哈佛大学博士罗凤鸣与我所合作整理温县盟书

岁月记忆

2009年12月安阳县西高穴大墓发掘专家座谈会

河南省文物工作队徽章

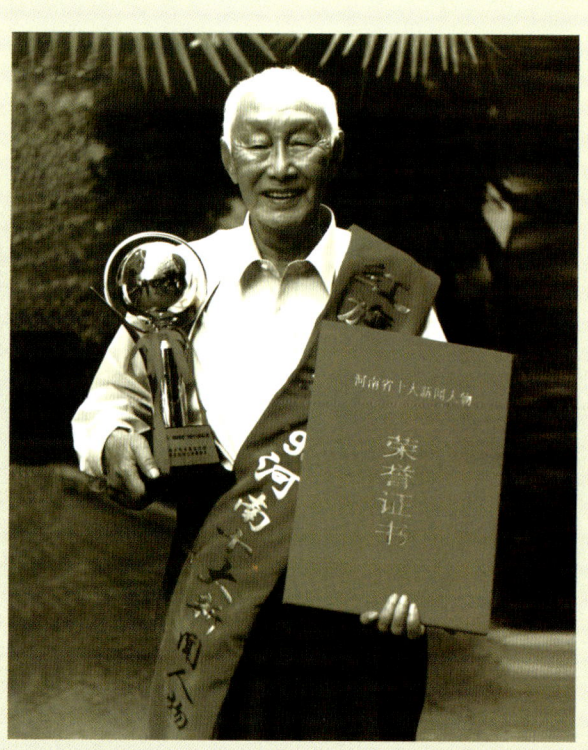

1999年4月安金槐先生荣获河南十大新闻人物

大事记

第一届河南省科学技术史学会留念

岁月记忆

河南省文物工作队刘胡兰小队成立留念

建所四十周年庆祝大会

大事记

日本三重县知事田川亮三(右一)来我所参观访问

日本滋贺医科大学教授福田真辅(左)在我所研究商代人骨

岁月记忆

河南省文物考古研究所建所50周年合影留念 2002.7.29.郑州

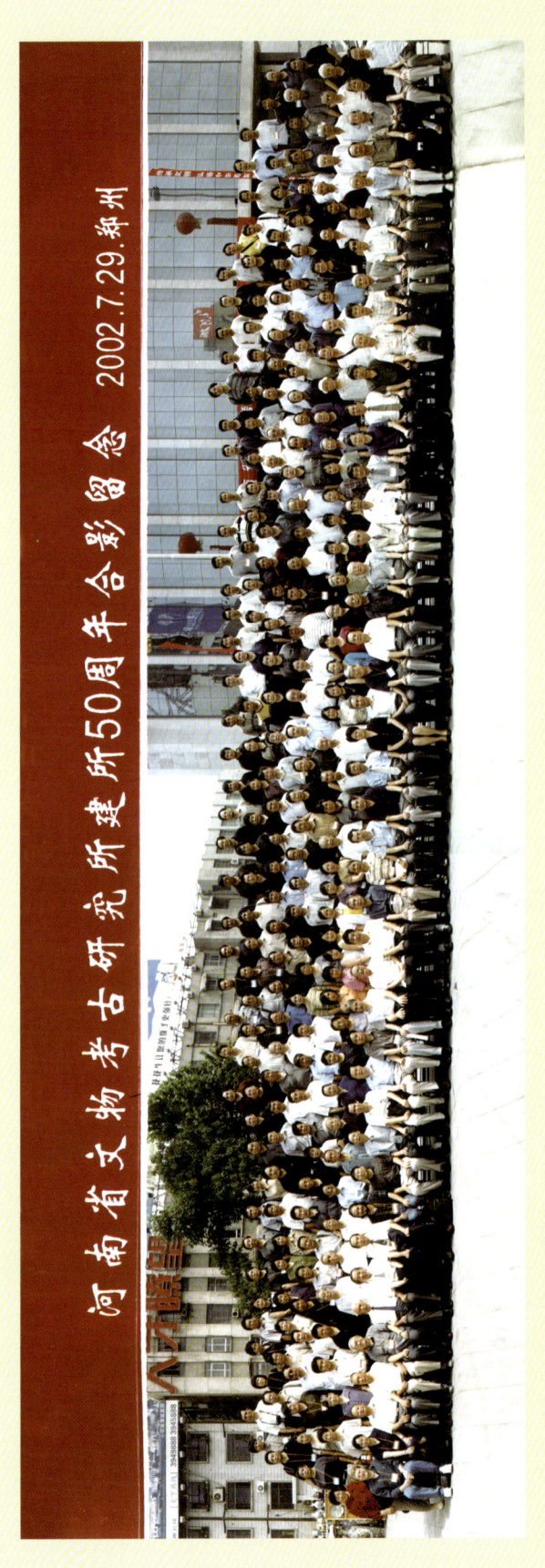

河南省文物考古研究所50周年所庆集体照

大事记

汝州张公巷窑、巩义黄冶窑考古新发现专家研讨会

岁月记忆

澳大利亚拉楚布大学学者来我所进行合作考察

日本奈良文化财研究所所长町田章先生（左四）与我所合作考察巩义三彩窑址

大事记

河南省文物局局长常俭传(左三)与我所领导参观考察香港大学美术馆

王菊梅为我所颁奖

岁月记忆

我所创建省级文明单位动员誓师大会

我所专家赴美国华盛顿大学考察访问

大事记

我所专家赴美国华盛顿考察访问

我所专家赴日本福冈考察访问

岁月记忆

我所专家赴日本奈良文化财研究所考察访问

我所专家赴台湾参加海峡两岸古玉学研讨会

大事记

我所专家在美国拜访张光直先生(左一)

我所专家在日本滋贺医科大学考察访问

岁月记忆

我所专家在台湾拜访石璋如先生(右)

2007年9月学部委员刘庆柱等考察我所

大事记

与美国密苏里州立大学联合发掘禹州阎寨遗址

与武汉大学、法国国立科学研究中心合作发掘南阳龚营遗址

岁月记忆

在"2009年全省文物工作会议"上我所六人荣记二等功

早期工作剪影——生活

早期工作剪影——现场

早期工作剪影——学习

岁月记忆

张政烺先生为我所题词

早期工作剪影——绘图

早期工作剪影——研讨

早期工作剪影——展览

后　记

　　河南省文物考古研究所自1952年成立以来,至今已经走过了60年的历程。60年来,经过几代人的共同努力,河南省文物考古研究所发生了可喜的变化,并取得了丰硕的成果。为纪念河南省文物考古研究所建所60周年,在所领导的组织下,全所同志(包括离退休同志)共同参与编撰了本书。

　　全书分九部分:一、简史;二、现状;三、个人简历;四、调出人员名录;五、学术交流;六、课题项目;七、出版专著;八、获奖科研成果;九、大事记。其中,第一部分由杨育彬同志撰写。第二部分由李延斌同志根据有关素材编辑。第三部分由个人提供,并由胡永庆作适当删减。第四部分由杨育彬同志根据有关素材编辑。第五、第六部分由孙新民同志根据有关素材收集编辑。第七、第八部分由聂凡同志收集编辑。第九部分是在《河南省文物考古研究所五十年》中大事记的基础上,由胡永庆同志根据相关素材编写。全书收录的有关项目、资料和人员情况,截至2012年3月。

　　本书的照片由李延斌、祝贺、郭民卿等同志收集,祝贺同志编排。封面由阳光同志设计。胡永庆同志承担了本书的编辑、印制方面的工作。大象出版社的郭一凡为本书的出版付出了辛勤的劳动,在此表示感谢。

　　全书经孙新民、魏周兴同志审阅定稿。

　　本书从组稿编写、审阅定稿,至校对、印刷出版,前后仅几个月的时间。尽管参与工作的同志严肃认真,力求全面准确地收录河南省文物考古研究所60年发展的内容,但由于时间仓促,有些项目和内容,难免有所遗漏或差错,恳请谅解。

河南省文物考古研究所

2012年6月